Pierre Gemme

Animal Totem

Yomi

Éditions Volpilière
Roman policier Jeunesse

Seconde édition

Éditions Volpilière © ER 2009

*En hommage à **Vivette Desbans**.*

Remerciements à ma mère, à Fabienne, à Marie-Jeanne Salin et à Alain Galindo pour leur aide et leurs conseils.

Du même auteur :

Albert et Léa la tortue
Éditions Chamamuse, 2010

Chroniques de la Terre Figée
Éditions de la Clef d'Argent, 2009

La Console mystérieuse
Éditions du Bout de la Rue, 2009

Animal totem,
Éditions Volpilière, 2009

Adawa, dernier Indien Caribe
Éditions du Bout de la Rue, 2008

Retrouvez les héros de la série :
Animal Totem
dans un prochain ouvrage
à paraître en septembre 2010.

Chapitre Un
Un fauve dans la ville.

Le jour tombait sur le quartier du Bronx.

Le long de Harrison Avenue, baignée dans une éter-
nelle odeur d'égout et de lessive, armés de leurs revolvers de
bois, des enfants visaient une voiture de police qui passait silencieusement.

Plus loin, au pied d'un immeuble haut de vingt-cinq
étages, une bande de gosses jouait tout près d'une canalisation
percée.

Gyrophare éteint, le véhicule glissait tel un requin
sillonnant les océans.

— Attention !

Josh fit une embardée et évita de justesse l'animal.

Manuel, son équipier, eut juste le temps de crier :

— Arrête !

— Pourquoi ? C'est juste un chat…

— Non, ce n'est pas un chat. Arrête, je te dis !

Les pneus crissèrent, produisant une forte odeur de caoutchouc brûlé tout en dessinant de longues traces noires sur la chaussée déformée. Manuel sauta sur le sol avant que le véhicule ne soit tout à fait immobilisé. La poussière le fit tousser.

— Il est parti par là!

Josh haussa les sourcils et descendit en claquant la portière.

— Chut! murmura Manuel qui s'était lentement approché de la palissade entourant le terrain vague.

Harlem et le sud du Bronx forment une mosaïque de taudis et d'espaces recouverts par une mer d'ordures dont les crêtes peuvent atteindre plusieurs dizaines de mètres. On trouve de tout sur ces plages désolées.

De vieux sommiers, tels des radeaux échoués. Des poupées désarticulées, des figures de proue séparées des épaves. Des baraques de bric et de broc abritant des clochards, les naufragés…

— Tu le vois, Josh? Là-bas. Tu ne vas pas prétendre que c'est un chat?

Manuel pointa son index sur un petit félin couleur ocre. Des taches rondes et noires, formant des cercles sur sa fourrure, le rendaient plus difficile à détecter.

L'animal se faufila dans un tunnel de cartons et de tôles. Seuls ses petits yeux dorés brillaient dans la pénombre, comme une paire de joyaux.

Josh devait en convenir. Ce n'était ni un chat, ni un chien : c'était beaucoup plus gros.

— C'est une… une panthère ? chuchota le policier en avalant sa salive.

Il fit un pas en arrière.

— Non. Un ocelot ! Ça ressemble tout à fait à un ocelot.

Manuel fermait les yeux en disant cela. Les souvenirs affluaient dans son esprit égaré. Il répétait « un ocelot ». Combien de fois l'avait-il vu en rêve depuis son entrée dans ce foyer d'enfants abandonnés ? Il avait si longtemps fréquenté cet établissement. Dans les dortoirs, les autres l'appelaient « l'Indien » à cause de son physique.

Au lieu d'en tirer une certaine fierté et d'imaginer, dans son sommeil, des combats entre Peaux-Rouges et cowboys, des tipis, des bisons et de grandes plaines, lui ne voyait qu'un étrange spectacle. Toujours le même : un petit félin tapi sur une branche en pleine forêt.

À sa majorité, Manuel s'était engagé dans la police. Il avait alors le désir de retrouver ses parents inconnus en menant des enquêtes, grâce à l'accès aux dossiers top secret. Et puis un jour, en feuilletant un magazine de reportages, entre deux tours de garde, il avait retrouvé le petit fauve de ses songes ! Sous la photo un nom : *Ocelot*.

Cheveux noirs en brosse, visage maigre contracté, et les jambes arquées comme si elles supportaient mal sa grande taille, Josh réfléchissait à la suite. Cet animal était trop dangereux pour qu'on le laisse en liberté. Ils devaient le tuer. Il dégaina son pistolet et, lentement, visa l'animal.

Manuel sortit de sa rêverie et aperçut son camarade. Il eut tout juste le temps de bondir et d'attraper son poignet.

Le coup partit en l'air.

— Pourquoi ne m'as-tu pas laissé faire ? À cette distance, je pouvais facilement l'avoir !

— Il n'est pas dangereux. Et…

Manuel hésita à exprimer sa pensée malgré la confiance qu'il portait à Josh. Il décida de tenter le coup : il aurait sûrement besoin de soutien.

— J'ai l'impression d'avoir retrouvé un ami d'enfance.

Manuel regarda son collègue droit dans les yeux, essayant de lire ce que cette phrase déclencherait dans son esprit.

Josh hocha doucement la tête et lâcha, presque avec mépris :

— C'est vrai : j'oubliais que tu es un *Indien*…

Sur le chemin du retour, les deux policiers n'échangèrent pas un mot.

« *Indien* », jamais son ami, son seul véritable ami ne l'avait appelé ainsi ! Seuls ses collègues du commissariat employaient ce qualificatif. Il ne considérait pas ce mot comme injurieux dans leur bouche. Ils se nommaient tous : « black », « jaune » en riant. Et s'ils avaient été affectés là, c'était bien à cause de leur « particularité », justement.

12

Après avoir roulé pendant plusieurs minutes en silence, Josh dit :

— On ne va quand même pas se quitter comme ça ? Pardon, je te demande pardon. Voilà, tu es content ?

Comme Manuel ne disait toujours rien, il s'excusa encore.

— Je ne savais pas que ça te mettrait dans cet état.

— Tu allais abattre un animal qui ne demandait rien d'autre qu'on lui fiche la paix ! Je ne te comprends pas, là.

Josh haussa les épaules.

— Tu sais, ma famille a tellement souffert par le passé... J'ai mis mon revolver au service de la justice. Je laisse l'amour des animaux à d'autres. S'il y a danger, je vise et si je dois abattre un animal pour la sécurité des habitants, alors je le fais. C'est mon job !

Et comme si Josh regrettait aussitôt cette confidence, il ajouta :

— Et puis, quand j'ai quelque chose dans ma ligne de mire, homme ou bête, j'oublie parfois la nature de la cible. Tu sais bien que dans notre métier, hésiter est souvent synonyme de mort.

Josh aperçut les yeux effilés de son ami posés sur lui. Ce regard ! Cette lueur étrange et verte ! Josh ne put s'empêcher de reculer.

— OK, n'en parlons plus. Ce n'est qu'un ocelot, murmura Manuel.

La voiture de police n'était plus qu'à quelques rues du commissariat. Josh, au volant, ralentit. Il jeta des regards inquiets à son compagnon. Puis il stoppa net et se mit en double file, allumant les warnings.

— Manuel, tu ne peux pas rentrer dans cet état ! Que vont dire les autres ?

Le teint cuivré du jeune homme avait viré au blanc. Il semblait totalement absorbé par ses pensées, comme si la réalité ne lui importait plus. Non pas qu'elle lui échappât, mais elle devenait secondaire : cet ocelot avait réveillé en lui des sentiments qu'il croyait avoir enterrés à jamais.

— Bon, on fait quoi, là, pour oublier tout ça ? Je t'invite à boire un verre. Ça marche ?

La longue main osseuse de Josh secouait doucement la cuisse de son ami.

— Oh ! Tu m'entends, Manuel ?

— Reconduis-moi au terrain vague et laisse-moi seul, là-bas.

Josh ouvrit grands ses yeux.

— Au terrain vague ? Seul ! Mais... on est en service, on n'a pas le droit de se séparer... C'est une faute grave !

Voyant que Manuel restait impassible, Josh leva les mains en l'air.

— OK ! OK ! On y va. Je raconterai un bobard au chef.

Josh fit brutalement demi-tour puis, gyrophare allumé, il fonça à travers les rues encombrées. Lorsque le dépôt d'ordures apparut, Josh coupa le moteur. Le visage de Manuel s'éclaira.

— Tu es sûr de ce que tu fais ? demanda Josh d'une voix blanche.

Manuel hocha la tête et sourit.

— Tu sais que tu risques un blâme ? insista Josh.

Mais Manuel était déjà hors de la voiture. Il ôta son ceinturon métallique et le jeta sur la banquette arrière par la fenêtre ouverte.

— Sois sympa, Josh, remets mon arme de service dans son râtelier.

— Ce n'est pas sérieux, protesta Josh. Le coin est farci de voyous ! Sans parler de ce tigre !

— Ocelot, rectifia Manuel en s'éloignant.

Josh le rappela, mais Manuel ne l'entendait plus. Il avait remarqué que quelque chose bougeait plus loin…

— Bon courage, vieux ! souffla Josh, en redémarrant.

Chapitre Deux
L'enfant sauvage

Embusqué derrière un monticule de gravats, Manuel clignait des yeux. À quelques mètres de lui, une forme humaine venait de sortir du tunnel de cartons humides dans lequel s'était réfugié l'animal.

Il ne fut pas trop surpris de voir un enfant.

Manuel se tapit un peu plus, retrouvant les réflexes de camouflage des Indiens. Non loin de lui, une petite main aux ongles démesurément longs se posa sur la fourrure tachetée. Le policier tendit l'oreille.

— Tout doux, tout doux, susurrait la voix fluette.

L'enfant glissa lentement son index entre les mâchoires fines de l'ocelot qui peu à peu se desserrèrent.

— Allez, donne.

Le petit fauve obéit. Il ouvrit la gueule et lâcha sa proie, une corneille agonisante. Le petit homme l'attrapa par ses ailes brisées. Puis tout en murmurant « hekura, hekura, viens à moi », il appuya sur le cœur du volatile qui cessa aussitôt de battre.

Manuel, toujours caché, frémit comme s'il était lui-même la victime. L'ocelot attendait sa part. Ce n'était pas facile de tuer. Pas facile de s'approprier l'esprit d'un oiseau en mangeant sa chair. Aussi, à chaque fois, l'enfant priait-il les esprits.

Après ce frugal repas, Yomi fut prêt à poursuivre la mission qu'il avait entreprise.

— Attends-moi ici! ordonna-t-il au félin. Et surtout ne bouge pas avant mon retour. J'ai quelque chose de très important à faire.

Curieusement l'ocelot sembla obéir. Il retourna au fond de la tanière. Cheveux graisseux, mèches emmêlées, l'enfant empoigna une hotte, fabriquée à partir d'une vieille corbeille en osier, et sortit du terrain vague.

Manuel, intrigué, quitta son poste d'observation.

— Mais où va-t-il? ronchonna le policier. Il ne va tout de même pas s'aventurer dans cette tenue en plein centre-ville?

Pieds nus sur le macadam, l'enfant courait.

Manuel pesta:

— Eh bien si! Mais c'est qui ce môme? Il vient d'où? Et où va-t-il?

Le policier essoufflé avait du mal à suivre. Il devait parfois se cacher derrière une poubelle quand l'enfant s'arrêtait. Le gosse tenait à la main un répertoire aux pages cornées dans lequel il notait de temps à autre quelque chose. Personne ne le remarquait malgré ses habits en lambeaux.

Il y avait tellement d'enfants des rues dans cette ville. Un de plus ou un de moins… Jamais Manuel, peu habitué à fréquenter ces quartiers, n'avait remarqué autant de misère.

— *Il faut que j'arrive sur le port avant midi ! J'espère qu'ils auront fini de décharger le cargo*, pensa l'enfant.

Il pénétra sans encombre dans Lower Manhattan. Parfois, il faisait même crisser les pneus d'un taxi jaune et crier son conducteur énervé.

Downtown : les gratte-ciel de verre scintillaient au-dessus d'une marée d'hommes d'affaires en costume cravate et baskets sortant des bouches de métro. Les klaxons rauques se répercutaient dans les rues.

Levant les yeux encore plus haut, Yomi découvrit les hélicoptères survolant les immeubles.

— *Des libellules !* pensa-t-il

L'enfant s'arrêta, se cacha derrière un kiosque à journaux, et se mit à rêver.

Puis, il reprit sa marche. À la recherche d'un animal totem, son compagnon à la vie à la mort, il n'écartait aucune piste. Plus le temps passait, et plus il devenait évident qu'il ne s'en sortirait pas tout seul.

— *Je dois trouver mon* « animal totem » *si je veux sortir d'ici. Et vite !* se dit-il.

Convaincu qu'il le trouverait dans l'esprit d'un oiseau, il recommença à courir. Une cinquantaine de mètres derrière lui, Manuel n'en pouvait plus. Il en était certain, ce gosse avait du sang indien dans les veines.

— *Tout comme moi, à la différence qu'il a quinze ans de moins.*

Au sommet d'un immeuble, une horloge indiquait onze heures. Le temps ne signifiait rien, pour Yomi, compté de la sorte, mais il semblait que pour tous les autres, ce fût d'une importance capitale.

Il regarda les financiers, les secrétaires, les coursiers, les taxis, les Cadillac, toute cette foule d'hommes et de machines qui se couraient après sans jamais s'attraper. Ils ressemblaient à des poissons.

— *Les poissons! Voilà des animaux auxquels je n'ai pas encore pensé*, se dit l'enfant.

Il sortit son répertoire, et nota d'une écriture maladroite à la page des « P » le mot « poisson ». Puis à la page des « L », il n'oublia pas de noter « libellule ».

Cela fait, il s'enfonça au cœur de la cité. L'enfant parvint enfin sur les quais. Il se glissa sous des grillages rouillés et se dirigea vers un entrepôt.

Quand Manuel passa à son tour, il resta coincé de longues minutes sous le réseau métallique qui entaillait son uniforme. Puis, à force de se débattre, il finit par s'en extraire, mais non sans dommages. Il avait beau s'épousseter, il ressemblait à présent au gamin dont il avait perdu la trace.

Les docks étaient immenses. L'enfant poussa la lourde porte coulissante d'un entrepôt et entra dans un gigantesque hangar rempli de caisses.

Soudain, il entendit des pépiements. Sur la pointe des pieds, il s'approcha. Le bruit provenait d'une immense caisse coincée sous un amoncellement de bois. Le cœur de Yomi cognait fort.

Il s'accroupit et colla son oreille contre les planches.

— Les pauvres, c'est terrible, terrible…

Il regarda à droite, puis à gauche. Tout près d'une grosse balance, un docker avait oublié une barre à mine. Elle ferait l'affaire. S'en servant comme d'un pied-de-biche, il fit levier de tout son poids attaquant la boîte par le côté. Les clous sautèrent un à un.

Finalement le bois craqua. La caisse éventrée vomit de la paille. Des perroquets morts roulèrent sur le sol. D'autres, qui avaient eu plus de chance, s'envolèrent en nuées multicolores.

Un bruit de bottes. Quelqu'un venait par là. L'enfant finit de casser la dernière planche.

Un homme cria :

— Eh! Petit! Qu'est-ce que tu fais, là?

L'enfant lui fila entre les jambes et s'enfuit à toute vitesse en se dirigeant vers les quais.

— Arrêtez-le! Arrêtez-le! hurla le docker à l'intention du policier en uniforme qui venait d'arriver.

Déjà, Yomi se faufilait entre deux montagnes de billes de bois. Il se figea durant quelques secondes, le dos contre l'écorce rouge, guettant le moindre bruit. Les autres le cherchaient partout : derrière de gigantesques cuves de mazout, sous l'armature des jetées, même au centre des cordages enroulés en cylindres de plusieurs mètres de haut. Une sirène mugit, et la plainte ricocha sur l'acier des fûts d'huile.

L'enfant se boucha les oreilles, et se fit petit, tout petit.

Lorsque, au bout de quelques minutes, on le découvrit, il bondit au risque de se blesser. Sautant de tronc en tronc, il parvint au sommet de la pyramide de bois. Les ouvriers le regardèrent effarés. Manuel hurla :
— Non !

Mais c'était trop tard. Dans un dernier défi, l'enfant leur sourit et plongea dans l'eau sale.

Plus tard, lorsque Manuel rentra au commissariat, il fut accueilli par un silence pesant. Il tenait dans ses bras une vieille hotte en osier et un répertoire crasseux.

Sa tenue était recouverte de taches, déchirée en plusieurs endroits, ses galons arrachés pendaient comme un présage de ce qui risquait de lui arriver. « *Teint cuivré, nez busqué, paupières bridées, ainsi il ressemblait vraiment à un Indien* » se dit Josh tout en priant pour que Burton ne punisse pas trop sévèrement la faute professionnelle de son ami.

Il avait pourtant bien arrangé l'affaire, prétextant que son camarade s'était senti mal en cours de mission, et était rentré chez lui. Mais devant la dégaine repoussante de Manuel, sa mine déconfite, tout tombait désormais à l'eau. Lui aussi, par la même occasion, risquait maintenant d'écoper.

— Alors, quoi de neuf, Manuel ? clama Burton.

Le ton du capitaine était ironique. Poings sur les hanches, le chef n'avait jamais paru si imposant. Avec ses cent kilos tout en muscles, les épaules larges comme celles d'un footballeur, son cou de taureau et sa moustache grise, il faisait trembler Josh. Manuel ne répondit pas et s'éloigna sans un regard pour son chef. Celui-ci en resta abasourdi !

Au loin, on entendait quelques bribes d'injures proférées par un vieux clochard connu des services de police et *mis au frais* pour la nuit.

L'image de l'ocelot hantait l'esprit de Manuel.

Il poussa une porte qui donnait sur les sous-sols, dévala l'escalier conduisant à une salle de musculation aménagée par les policiers eux-mêmes pour occuper leurs longues heures de permanence.

Le capitaine Burton lissa sa moustache grise. Puis, posant sa main sur l'épaule de son subordonné, il lui demanda :

— Josh, je veux vous parler une minute.

Lorsqu'ils furent enfin seuls :

— Qu'est-ce que vous avez vraiment vu qui ait pu le mettre dans cet état ?

Il n'eut pas le temps de répondre. Le fax du commissariat se mit à crépiter, le sauvant in extremis d'une situation difficile.

— Eh ! Les gars ! Approchez, écoutez ça, cria le standardiste :

« Je demande à toutes les brigades de bien vouloir me prévenir dans les plus brefs délais de la découverte d'animaux sauvages en liberté, ainsi que de la présence d'un enfant disparu depuis le quinze mai dernier et dont voici le signalement : environ dix ans, cheveux noirs, teint mat, yeux verts, répondant au nom de Yomi Marshal et d'origine indienne. »

Burton haussa les épaules.

— Poubelle ! ordonna le capitaine en chiffonnant lui-même le papier fraîchement sorti de l'imprimante… On a d'autres chats à fouetter dans ce secteur. Drogues, crimes, braquages, etc. On ne va pas en plus s'occuper des gosses qui fuguent.

Josh regarda le message en boule qui gisait à présent au fond du panier.

— *Bon sang,* pensa-t-il, *l'ocelot, c'est bien un animal sauvage.*

Mais il ne voulait plus nuire à Manuel. L'avoir déjà traité d'Indien était suffisant. Pourtant son supérieur revint à la charge.

— Alors que s'est-il passé durant votre patrouille?

Tout en demandant des explications, il examinait du bout des doigts la hotte et le carnet d'adresses recouverts d'un dépôt gras.

— Pourquoi Manuel rentre-t-il à cette heure-ci, seul et sans arme? Pourquoi vous êtes-vous séparés alors que c'est strictement interdit par le règlement?

— Je... Enfin, nous...

Il avala sa salive.

— Nous avons vu un ocelot en liberté dans un terrain vague de la zone Nord. Si je puis me permettre, je crois que c'est en rapport avec le message que nous venons de recevoir.

— Un ocelot? Un terrain vague? Ça ne m'explique pas pourquoi Manuel...

Josh coupa Burton. D'une traite il finit par avouer:

— Il a insisté pour rester sur les lieux afin d'en savoir plus.

— Une enquête en solo! Je vois!

Il leva les yeux au ciel.

Alors que Josh attendait, tête baissée, la sentence, le capitaine sourit.

— Vous les jeunes, on voit que vous n'avez encore rien vu. Un gros chat dans la nature et un gosse qui fait l'école buissonnière et c'est tout de suite la panique !

Le jeune policier osa enfin lever les yeux.

— Eh bien ! Puisque ça vous amuse, allez, filez ! Courez attraper ces bestioles, mettez-les moi hors d'état de nuire, et qu'on n'en parle plus. Ça calmera le District Attorney !

Josh se détendit, et reprit des couleurs tandis que Burton rejoignait son bureau dans une cage de verre aux vitres doublées de stores métalliques.

— Comme si je n'avais que ça à faire, l'entendit-on marmonner.

Apaisé par une séance de musculation suivie d'une bonne douche, Manuel remonta du sous-sol. Il balança fièrement la tête en arrière, cheveux mouillés, secouant ses mèches luisantes. Josh l'attira à part pour lui annoncer que non seulement Burton leur avait pardonné, mais qu'il leur confiait également l'affaire.

— Et la hotte ? Et le carnet ? demanda Manuel.

— Il les a à peine regardés.

Leur temps de service était terminé. Emportant les deux pièces à conviction, ils s'empressèrent de sortir du commissariat avant que Burton ne revienne sur sa décision.

Habillés en civil, ils retombèrent dans l'anonymat de la rue. Avant de monter dans sa voiture personnelle, Josh sortit de sa poche le message chiffonné. Il le fit lire à son ami.

— Incroyable! s'enthousiasma Manuel. Ça confirme ce que j'ai vu. C'est lui qui lâche les animaux dans la nature.

Rien que d'évoquer cette scène, sa gorge se noua. Au lieu de se diriger vers la station de métro la plus proche, Manuel héla un taxi.

— Où vas-tu? s'inquiéta Josh.

— Bronx Nord! lança Manuel, répondant au chauffeur de taxi et par la même occasion à son ami. Je veux revoir l'ocelot.

Josh n'était pas dupe.

— Attends! Je t'accompagne.

Josh se précipita. Il ouvrit la portière arrière et sortit son ami du véhicule. Il congédia le taxi qui râlait.

— Monte dans ma voiture. Je te conduis.

Manuel rechigna à importuner son ami. Mais une fois installé, celui-ci sourit et ajouta:

— Voilà, maintenant, c'est notre enquête!

Chapitre Trois
Le sosie indien

Josh et Manuel, après une longue discussion, avaient conclu que le plus sûr était de confier l'ocelot au zoo.

Ils le retrouvèrent tapi dans son tunnel de cartons et de tôles. Manuel et l'animal restèrent un long moment face à face. Les yeux dans les yeux. Quelque chose de magique se passa alors entre eux, comme s'ils se connaissaient depuis toujours.

Manuel tendit doucement la main ; l'ocelot se laissa prendre.

— Il doit reconnaître l'odeur de l'enfant dont j'ai dû m'imprégner en portant sa hotte. Pauvre gosse.

Une fois l'ocelot en sécurité au zoo, les deux policiers se séparèrent.

Arrivé chez lui, Manuel poussa la porte qu'il ne fermait jamais à clé. C'était le seul moyen de ne pas se la faire fracturer dans ce quartier de Harlem. Manuel sentit la forte odeur de musc qui persistait sur ses mains.

— Dire que Josh n'a même pas pu le caresser !

Manuel sourit, presque heureux.

Il ne pourrait pas cohabiter avec un félin dans un appartement si petit! Il avait pourtant l'étrange sensation qu'il partageait l'existence de cette bête sauvage depuis toujours. Il lui fallait de l'air, de l'air…

Il ouvrit brutalement la fenêtre et les persiennes. Dans le ciel qu'incendiait le soleil couchant, Manuel vit arriver une colonie d'oiseaux merveilleux, bleus, rouges, verts, roses, violets, jaunes et orangés. Ils tournèrent au-dessus de Harlem, virevoltant en caquetant, se posant sur les antennes, se chamaillant deux par deux et reprenant leur ballet.

Bientôt, tous les habitants du quartier sortirent, attirés par le bruit et les cris.

— Des perroquets! Des perroquets!

Manuel était le seul à ne pas être surpris.

— Yomi, tu as bien fait de briser la caisse et de les libérer.

Plus tard, Manuel ne réussit pas à s'endormir. Tous les événements de la journée lui revenaient sans cesse en mémoire. Où était l'enfant? Il l'avait vu plonger mais c'était presque du suicide.

Le courant avait dû l'entraîner à l'autre bout de la ville dans cette eau insalubre. De quoi attraper toutes sortes de maladies.

L'aube se leva, le trouvant les yeux ouverts, perdu dans ses pensées. Il était déjà l'heure pour lui de reprendre son service.

Arrivé devant le commissariat, il hésita. Une longue limousine noire attendait, gênant le va-et-vient des véhicules de sécurité.

— Qu'est-ce que c'est encore que ça?

Manuel entra. Josh était déjà là. Burton aussi.

— Ah! dit-il. Manuel, nous n'attendions plus que vous.

Un homme et une femme se tenaient par le bras. Le capitaine fit les présentations.

— M. et Mme Marshal: les parents adoptifs de Yomi, l'enfant que nous recherchons depuis plusieurs mois.

Manuel ne put détacher ses yeux de ceux de la femme. Bleus, cernés d'un rouge qui les rendait presque violets. Quant au mari, un homme au visage carré, à la mâchoire et aux sourcils proéminents, il fixait le policier. Seule la palpitation de sa carotide indiquait une émotion. La main qu'il tendit à Manuel resta dans le vide, mais il ne pensa pas à la retirer, comme si quelque chose venait de lui ôter toute capacité à réagir.

— Vous… vous êtes un Indien d'Amazonie, vous aussi? murmura finalement John Marshal, la voix enrouée.

— Que voulez-vous dire par « vous aussi »? s'exclama Burton.

— Mais parce que… Nous avons adopté notre fils

dans un dispensaire brésilien… lâcha Barbara.

Manuel n'avait jamais vu l'enfant de près.

À l'annonce de cette nouvelle, il se sentit encore plus concerné par cette affaire. Burton, lui, se demandait comment faire pour se débarrasser de ce couple riche et célèbre, *milliardaire, médiatique et influent* selon le rapport obtenu sur eux.

— Josh, voulez-vous bien prendre les coordonnées et tout renseignement utile, demanda le capitaine sur un ton doucereux.

Josh s'exécuta, tandis que Burton s'éclipsait en s'excusant d'avoir une urgence à régler.

M. Marshal s'installa devant une table encombrée de paperasses. Manuel en profita pour se rapprocher de la femme.

— Vous croyez vraiment que je suis un Indien, enfin je veux dire… un Indien de là-bas ? murmura-t-il bouleversé par cette révélation.

Barbara hocha la tête sans quitter des yeux ce policier, jeune, élancé, aux yeux d'un vert profond, tout comme ceux de son fils.

— Oui, vous êtes tout son portrait, souffla-t-elle. Il aura les mêmes yeux que vous si…

Elle éclata en sanglots. Manuel posa la main sur son épaule frêle.

— Madame, rien ne nous dit qu'il est mort. Je suis

personnellement persuadé du contraire. Et vous pouvez vous fier à mon instinct.

— Vous l'avez vu, nous a dit votre collègue ? Il va bien ?

Manuel se remémora la folle course-poursuite et avec un sourire, il ajouta :

— Oui. Je l'ai même surpris en train de remettre en liberté un chargement clandestin de perroquets. Mais, tout comme les volatiles, il s'est échappé…

Le regard de John Marshal chercha soudain à fuir.

— Absurde, complètement absurde ! Qu'est-ce qui a bien pu se passer dans la tête de ce gosse ?

Puis, de but en blanc, il demanda :

— N'auriez-vous pas retrouvé un répertoire, par hasard ? Mon carnet d'adresses a disparu. Je suppose qu'il l'a emporté. Je ne peux rien faire sans lui. J'y ai consigné tous mes contacts professionnels.

Un déclic se fit dans la tête de Manuel. John donnait l'impression de plus se soucier du carnet que de son fils. En guise de réponse, il n'obtint que deux « non », négligemment prononcés, longue expérience des deux policiers devant un tel intérêt pour une pièce à conviction retrouvée par hasard.

— Tant pis, soupira Marshal étonnamment détendu. Puis il retourna à sa déposition, en adressant un regard noir à sa femme.

De quoi intriguer un peu plus les deux policiers, attentifs à ce genre de réactions.

Barbara semblait sous l'influence de son mari. À la fin de la déposition, elle laissa tomber d'une voix volontairement basse.

— Nous nous reverrons…

Puis elle serra la main de Manuel, et sans la lâcher, elle le remercia à voix haute.

— Le plus beau cadeau que vous m'avez fait, monsieur, c'est de me rendre l'espoir.

La main, tout à l'heure glacée, était à présent chaude. M. et Mme Marshal prirent congé.

Barbara se retourna avant de franchir la porte, comme pour graver dans sa mémoire ce visage indien qui lui rappelait tellement son fils.

— Laissez tomber. Ce ne sont pas nos oignons, et ça sent le roussi, moi je vous le dis! conseilla Burton en sortant de son bureau vitré.

Il avait tout entendu, et son sixième sens de policier lui chuchotait qu'il valait mieux laisser cette affaire au District Attorney. Josh et Manuel acquiescèrent.

Mais à peine eurent-ils terminé leur service qu'ils bondirent dans la voiture particulière de Josh. Celui-ci, excité par l'enquête, feuilleta le carnet d'adresses.

— Ben, si Marshal voyait ça, il serait content ! Le gosse a gribouillé des noms d'animaux sur toutes les pages.

Josh se mit à déchiffrer :
— « A » Anaconda, « B » Barracuda, « C » Cynocéphale… Et encore d'autres pages… « M. » Mygale, ah ! Enfin un nom presque humain « Marlène, artiste peintre, 26 Greenwich Village ». Allons-y, il faut bien commencer par un bout.

Josh prit les opérations en main. Manuel était bien trop absorbé. *« Vous aussi, vous êtes un Indien d'Amazonie. »* lui avait dit Barbara.
— Tu te rends compte, Josh ? J'ai toujours cru être issu de ce territoire, de cette terre des États-Unis d'Amérique que nous foulons !

Josh conduisait lentement. Il ne tenait pas à attirer l'attention, surtout sur cette enquête.
— Ce que je ne comprends pas, c'est comment tu as échoué aux U.S.A ?

Manuel rêvait.
— Je ne sais pas. Peut-être un explorateur m'a-t-il ramené par inadvertance dans ses valises, parmi d'autres souvenirs…

Josh sourit : c'est ce Manuel-là qu'il aimait.

Quand ils arrivèrent à l'adresse indiquée dans le répertoire, ils n'en crurent pas leurs yeux. Un luxe auquel ils n'étaient pas habitués. Une moquette épaisse, d'un rouge éclatant, recouvrait les marches de l'escalier. Le numéro 26 désignait une monumentale porte en bois massif, incrustée de ferronnerie d'art.

Josh actionna le marteau sous le porche, il représentait un félin qu'il eut du mal à identifier. Il était sculpté dans la position qui précède le saut sur une proie. Une chasse silencieuse et sans pitié.

Au bout de quelques secondes, la porte s'ouvrit sur une femme d'une trentaine d'années, portant un bonnet de bain et une blouse de nylon tachée. Ses cils étaient collés par la peinture et la rousseur de sa peau disparaissait presque sous les zébrures de couleurs.

— Bonjour, messieurs. Que puis-je pour vous ?

— Bonjour, madame, répondit Josh d'une voix douce. Nous sommes de la police.

Ce disant, il lui montra sa plaque.

— La police ? dit-elle, étonnée. Que se passe-t-il ? Rien de grave, j'espère ?

— Non, rien de grave, rassurez-vous. Nous venons juste vous posez quelques questions.

— Eh bien… entrez, dit-elle en s'effaçant du passage.

Josh fut ébloui par cet immense loft, baigné de lumière grâce à une splendide verrière. Manuel remarqua immédiatement les vastes toiles qui représentaient des paysages tropicaux naïfs, hantés par des panthères, des tigres, des perroquets, serpents et autres animaux sauvages.

— Je vais être direct. Nous savons que vous avez eu en votre possession des animaux interdits d'importation ou que vous auriez *oublié* de déclarer, bluffa Josh.

Elle tenta alors de s'expliquer d'une voix tremblante.

— Vous faites erreur, ces animaux ne m'ont jamais appartenu ! Il est vrai que j'en prends certains en pension comme modèles, mais je les garde quelques jours tout au plus, et jamais je ne les maltraite, je peux vous l'assurer.

— Qui vous les amène ?

— Des gens qui les ont chez eux. Vous savez, bon nombre d'artistes, peintres, sculpteurs ou écrivains possèdent des animaux exotiques, des reptiles, des oiseaux rares, des lionceaux, des tortues carnivores, des loups même ! Que sais-je encore ? Je ne pourrais pas vous dresser la liste exacte de tous les pensionnaires que j'ai dorlotés pendant que leurs maîtres étaient partis en vacances. Ils me les confiaient pour un temps, je les soignais et les dessinais, c'est tout, je vous le jure !

— Nous ne mettons pas votre parole en doute. Toutefois, tout nous porte à croire que la personne qui pourvoit le milieu mondain new-yorkais peut nous fournir de précieux renseignements concernant Yomi, le fils des Marshal qui a disparu il y a quelques mois.

Marlène sembla troublée. Elle s'assit sur un tabouret face à son chevalet, au milieu des tubes de peinture éventrés d'où s'échappaient de fortes odeurs d'huile de lin et de vernis.

— Yomi, dit-elle en laissant errer son regard sur une toile représentant un ocelot. Oui, je sais qui est Yomi.

Elle regarda Josh dans les yeux et il y lut la sincérité quand elle demanda :
— Il a disparu ?
— Oui et non. Il semblerait qu'il ait fugué et qu'il soit en compagnie d'un ocelot, tenta Josh en assemblant toutes ses informations.
— Un ocelot ?

Marlène se tourna vers la toile devant laquelle se tenait maintenant Manuel.
— Celui-là, dit ce dernier en désignant le tableau. C'est exactement celui-là.

Elle regarda Manuel et parut troublée. Elle venait de s'apercevoir qu'il était de la même origine que Yomi.
— Celui-là ? Oui, ça ne m'étonne pas. Alors que je le peignais, les Marshal sont venus me rendre visite, avec Yomi. Quand ils se virent, lui et l'animal, j'ai ressenti comme une… une communion.

Je ne vois pas quel autre terme employer. Comme s'ils s'étaient connus, il y a longtemps, et qu'ils se cherchaient l'un l'autre, depuis.

Tout en écoutant la femme, Manuel aperçut sur une des toiles, au fond de l'atelier, un étrange poisson en forme de losange. Les ouïes rouges, la bouche grande ouverte ornée de dents minuscules. L'animal était représenté bondissant d'un fleuve marron. Sans en avoir jamais vu auparavant, un mot lui vint : *piranha*.

Une question surgit alors dans son esprit. Il appréhendait la réponse, car tout, soudain, semblait reposer sur ce détail.

— Yomi était-il bon nageur ?

— Bien sûr ! répondit aussitôt Marlène. Vous n'êtes pas sans savoir que c'est un enfant adopté. Un Indien d'Amérique latine… qui vous ressemble beaucoup d'ailleurs.

Manuel sourit. Il ne faisait aucun doute maintenant qu'ils le retrouveraient bientôt : ce garçon était plein de ressources.

Chapitre Quatre
Sauvé des eaux

Sur une plage proche du Bronx, des enfants prenaient d'assaut quelques rochers mazoutés pour regarder d'en haut clapoter l'eau pestilentielle de la baie.

Un gamin gisait, échoué sur le sable sale. Un adolescent noir le recueillit et, sur son dos puissant, il le porta jusqu'à une barque renversée. Il l'allongea sur la coque calfatée, posa son oreille sur sa poitrine. D'autres enfants s'approchèrent, gosses des rues, orphelins braqueurs, petits voyous. Le grand môme secoua sa tête crépue.

— Il est mort ?

— Non, il bouge encore ! lui répondit un de ses camarades.

Effectivement, Yomi tremblait comme une feuille.

— Portons-le dans notre cabane ! ordonna le capitaine.

Une heure plus tard, Yomi se réveilla entouré par des regards brillants.

Dans la pénombre, il revit des images de son enfance. Le soleil pénétrait entre les parois de bambou disjointes, comme entre les lianes touffues de la jungle. Et les pupilles des animaux sauvages scintillaient la nuit, aussi.

— Eh! les gars! il se réveille.

Yomi ouvrit complètement les yeux. La tête lourde, il se souvenait avoir plongé. Il avait nagé longtemps sous l'eau, les joues gonflées d'air et les yeux fermés à cause des flots épaissis par la saleté.

Frôlant dangereusement les coques, il avait progressé au hasard à quelques mètres sous la surface irisée de mazout.

Il avait fini par émerger un peu plus loin, entre la poupe rouillée d'un cargo et la proue d'un autre bâtiment, avec la peur que les mouettes criardes, tournant autour de sa tête ruisselante de goudron, n'aident ses poursuivants à le localiser.

Puis fourbu et meurtri, l'esprit fatigué, à bout de forces, il s'était laissé porter par le courant de la marée montante et les vagues jusqu'à cette plage.

Dans sa fuite, Yomi n'avait pas pu récupérer la précieuse hotte qu'il s'était construite. Comment allait-il s'en sortir sans son répertoire?

— Qui êtes-vous? demanda-t-il un peu brusquement.

— Du calme, amigo. Je te présente Mishi, elle, c'est Yasmine, et moi Pedro. Comment tu t'appelles ?

— Yomi, murmura-t-il d'une voix faible, en détaillant le grand enfant noir qui semblait être le chef.

Pedro était encadré d'une fillette maghrébine aux yeux de biche et d'un garçonnet d'origine asiatique, pâle de peau et pourvu d'un nez minuscule.

— Drôle de prénom. Tu as sans doute faim ? Apportez-lui du pain, des pommes, tout ce que vous pourrez trouver, ordonna Pedro.

Les gamins s'éparpillèrent en poussant les morceaux de planches et de tôles qui fermaient l'abri. Yomi se leva.

— Je dois partir.

— Ça ne va pas, non ? Il faut d'abord que tu récupères. Attends d'avoir mangé un bout, on ne va pas te faire du mal, tu sais.

— Je dois retrouver mon ocelot.

Yomi avait parlé trop vite. Il mit sa main devant sa bouche en espérant que Pedro ne l'avait pas entendu.

— Un ocelot ? Qu'est-ce que c'est que ça ?

— Il faut que je parte, répéta Yomi.

Il voulait sortir pour retrouver le soleil, les derniers rayons avant la nuit, la solitude, la torpeur. Pedro, d'une main vive, le força à se rasseoir. Ses yeux extrêmement blancs ressortaient sur le fond bistre de son épiderme.

43

Ses lèvres s'agitaient devant ses dents couleur d'ivoire.

— Alors, tu m'expliques, oui ou non?

— Eh bien… c'est un gros chat que j'ai recueilli, un fauve en fait, qui croupissait chez des gens riches. Je l'ai libéré et depuis, on ne se quitte plus.

Pedro parut se satisfaire de l'explication. Il laissa Yomi tranquille, même s'il n'avait aucune intention de le libérer, pour l'instant.

Il se passa plusieurs minutes avant que ses amis ne reviennent avec ce que Pedro avait demandé. Pendant ce temps, l'adolescent jouait avec un canif à la lame tordue et oxydée. Il taillait une petite flèche dans un morceau de branchage. Il adorait construire ce qu'il appelait « des comètes ». Un bout de bois pointu à l'extrémité duquel on attachait une ficelle. Il suffisait ensuite de faire tournoyer le tout au-dessus de sa tête, et de lâcher l'engin. La comète filait alors à des hauteurs folles.

Yomi avait très faim. La bande revint enfin avec des sacs poubelle remplis de trognons, de galettes, de produits périmés trouvés en fouinant dans les arrière-cours des supermarchés.

— Désolé, vieux, mais ce n'est plus l'heure pour voler. Les commerçants ont rentré leurs étalages.

— Oui, le mieux c'est que tu manges et que tu dormes une nuit ou deux ici. Après on te raccompagnera chez toi, c'est promis! jura Mishi en plissant ses petits yeux bridés réduits à deux fentes.

— Accepte, s'il te plaît! supplia la fillette en joignant l'une contre l'autre ses petites mains tatouées à l'intérieur des paumes.

Yomi hésita, puis il se dit que l'ocelot saurait se débrouiller seul. Certainement mieux que lui, d'ailleurs.
— C'est bon, je reste.

Difficile de faire autrement. À peine eut-il fini de parler qu'il sombra dans un profond sommeil réparateur.
Yomi put se reposer et découvrir ses nouveaux acolytes. Au bout d'une journée il réussit à les convaincre de le suivre au terrain vague où il avait laissé son ocelot seul.

Josh et Manuel continuaient leur enquête en secret et décidèrent de rester en planque à proximité de la tanière où ils avaient trouvé l'ocelot.
Manuel ne savait pas l'expliquer mais il était certain que l'enfant viendrait le retrouver.
Un petit groupe d'enfants s'approcha.
— Attention, Josh! Cachons-nous! Je crois qu'il arrive.

Josh et Manuel se dissimulèrent un peu plus dans la voiture, se baissant au maximum.
— Aïe! dit Josh, en se tapant la pédale de frein sur la cuisse.
— Chut! C'est lui.

Manuel ne quittait pas le rétroviseur des yeux, réglé de façon à embrasser du regard tout le paysage.

— C'est lui, je le reconnais.

Les enfants passèrent tout près du véhicule sans se douter qu'à l'intérieur, les deux comparses retenaient leur souffle.

Yomi se précipita dans sa cachette. Le cri qu'il émit terrorisa les trois enfants. Josh en oublia sa douleur, Manuel était prêt à bondir.

— Que se passe-t-il ? Il lui est arrivé quelque chose ?

Josh le retint.

— Si tu sors, il va s'enfuir.

— Qu'est-ce qui se passe ? demanda Pedro.

Le visage de son nouvel ami indien était couvert de larmes.

— Ils l'ont pris ! Ils me l'ont enlevé !

Pedro passa une main dans ses cheveux crépus, ennuyé. Les autres se regroupèrent. La jolie frimousse de Yasmine apparut dans l'entrée, à côté du visage plat de Mishi fendu par deux petits yeux et une paire de lèvres fines, tel un masque.

Accroupi, le chef de bande leur fit signe de s'éloigner.

— Il est peut-être parti chasser.

— Non. Quand je n'y suis pas, il reste ici. Il

m'attend toujours. Ils me l'ont pris, j'en suis sûr !

— Qui « *ils* » ?

— La police, souffla Yomi entre deux sanglots.

À ce mot tant redouté, Pedro se leva et se cogna contre le plafond d'ordures amassées. Il eut peur, tout à coup, à cause des nombreux larcins qu'ils avaient commis.

— Bon, filons d'ici.

Ils étaient tout près de la voiture des deux policiers quand Yomi leur demanda :

— Attendez ! Aidez-moi à le retrouver.

Pedro, Mishi et Yasmine se retournèrent et le regardèrent, étonnés. Avec leurs joues maculées de crasse, leurs ongles longs, leurs dents abîmées, ils faisaient peine à voir.

Yasmine, qui n'avait pas encore huit ans, s'approcha du chef de la petite bande. Pedro avait déjà quatorze ans. Elle ne se laissa pas pour autant impressionner par sa carrure.

— Aidons-le. Allez ! Il ne faut pas le laisser tomber.

Pedro se retourna en la dévisageant d'un air agressif. Puis ses traits se radoucirent. Il observa Yomi et, posant sa main sur l'épaule de celui-ci, il répondit :

— D'accord, d'accord...

Yomi remercia la fillette qui l'avait aidé avec un beau sourire. Il essuya ensuite ses larmes noircies par le long séjour dans l'eau croupie et réussit à dire :

— Je suppose qu'il a été rendu à son propriétaire. Mais il y a des tas d'autres animaux à libérer, vous savez !

Les deux policiers avaient tout entendu.

— Tu te rends compte, Manuel, chuchota-t-il, c'est tout un réseau que nous pourrions démanteler. Tu t'imagines la tête de Burton si on lui annonce ça en rentrant !

Mais Manuel ne pensait pas aux honneurs. Il souhaitait seulement ne plus perdre la trace de cet enfant. Une trace qui pourrait le conduire, il en était sûr maintenant, à son propre passé.

— On ne va rien dire à Burton ! répondit Manuel. Je vais simplement lui demander si je peux prendre quelques jours de congé.

Josh, qui n'en était plus à une surprise près, se déplia douloureusement. Il passa la tête par la fenêtre.

— C'est bon, ils sont loin. Pff… J'étais au bord de la crampe ! Alors, On fait quoi ? demanda-t-il en se massant les cuisses.

Manuel s'étira en bâillant.

— On les suit jusqu'à leur repaire. Maintenant qu'il s'est fait des amis, et que son ocelot ne le retient plus, je doute qu'il revienne au terrain vague.

Josh consulta sa montre.

— Il ne nous reste plus qu'une heure et demie. Tu parles d'une journée de repos…

*

Central Park s'étend de Broadway à Harlem Sud. Cela représente des dizaines d'hectares de collines, de bosquets, de pièces d'eau et de serres abandonnées. Les arbres se succèdent sur fond de ville agitée. Yomi trouvait souvent, ici, un moment de paix.

— Venez, n'ayez pas peur ! Ça fait des mois que je traîne dans cet endroit.

Yomi invita ses amis à le suivre dans un terrain accidenté, où personne de sensé ne se serait jamais aventuré. Yasmine y allait à reculons, Mishi râlait, et même Pedro « le grand », le fort, le dur, hésitait.

Il cracha par terre.

— Qu'est-ce qu'on irait faire dans ce trou ? Je ne marche pas !

Yomi le toisa avec un sourire ironique.

— Tant pis pour vous si vous êtes des lâches.

— Eh ! ne me traite pas de lâche, morveux, tu entends ?

Pedro, fier, habitué aux combats de rues, et répondant à la moindre provocation, lui tomba aussitôt dessus.

Yomi plissa ses petits yeux bridés, puis il poussa son cri strident, le même qu'il avait lancé lorsqu'il s'était aperçu qu'on lui avait dérobé son ami. Les bras de Pedro se refermèrent sur le vide.

Yomi s'était échappé.

Sous le regard éberlué du petit groupe, il sautait de branche en branche. Pedro, qui était tombé, roulait en gémissant.

Lorsqu'il s'arrêta, le nez dans la poussière, sous un amas d'orties, il sentit quelque chose de froid qui glissait le long de son cou. Il leva son menton tuméfié et ce qu'il vit le glaça d'effroi : la tête triangulaire d'un reptile géant était collée le long de sa joue !

Il hurla, se débattit, cria de façon hystérique. Et Yomi, là-bas, le regardait du haut de son arbre, en riant et se tapant sur les cuisses.

— À l'aide ! À l'aide !

Pedro se retourna et s'emmêla dans le long corps annelé et glacé qui semblait se refermer sur sa proie. Les yeux de l'animal, tels des billes vertes, le transperçaient. La langue sifflait, fourchue, à quelques centimètres de son visage.

Que faisaient ses amis ? Une dizaine de mètres plus haut, penchés au-dessus du trou, ils assistaient, impuissants, à la scène. Le souffle lui manquait, mais il ne savait plus si cela était dû à l'étreinte ou à la panique.

Les policiers avaient silencieusement suivi les enfants. Plaqué contre le sol, au sommet d'une colline,

Josh ferma un œil.

— Ça y est, je l'ai.

La tête du monstrueux reptile était juste dans sa ligne de mire. Son index pressait lentement la détente, quand Yomi apparut juste devant la cible.

Josh arrêta son geste à temps.

De rage, il jeta son revolver chromé dans le gazon.

Au loin les cris de joie des enfants résonnaient.

— Oh, le trouillard ! Oh, le trouillard !

Débarrassé du reptile qui, maintenant, s'enroulait autour des épaules de Yomi, Pedro, atteint au plus profond de sa dignité, se releva. De longues griffures rouges rayaient sa peau noire. Le chef de la bande, de sa main puissante, fit taire les gamins.

— OK, boy ! tu as gagné !

Mishi et Yasmine applaudirent. L'anaconda géant pesait si lourd que Yomi en avait les jambes pliées. Les écailles lisses vertes, brunes et jaunes le rendaient invisible dans la jungle de Central Park, en pleine ville.

— De quoi il se nourrit ? demanda Yasmine qui avait toujours faim.

Yomi répondit fièrement.

— Sous le massif d'églantines, que vous voyez là-bas, se trouve une colonne sanitaire. Une sorte de long puits qui descend et communique avec les égouts. Personne ne le sait. Peut-être que même les employés municipaux ont oublié l'existence de ce conduit. Mais pas les rats. Régulièrement, ces charmantes bêtes, qui peuvent atteindre la taille d'un chat…

— Si gros! s'étonna Yasmine.

— Oui, et plus encore… Régulièrement donc, ils remontent à la surface pour respirer. Mon boa les attend, et couic, il n'en fait qu'une bouchée.

— Et il y en a suffisamment? demanda Yasmine.

— Naturellement. Ces bêtes peuvent se contenter d'un repas tous les deux mois. Alors, vous pensez!

Pedro se secouait. De la paille tomba de ses cheveux. Ses loques étaient un peu plus déchirées qu'auparavant.

— Mais cet hiver! Avec le froid qu'il va faire, elle va crever, ta bestiole.

Yomi avait tout prévu. Il montra du doigt une autre tuyère comme il en existait un peu partout dans la ville, cachée dans la végétation et d'où sortait une vapeur molle.

— C'est une soupape de sécurité. La vapeur qui s'en échappe est suffisamment chaude pour créer un microclimat dans un rayon de dix mètres.

Les enfants s'assirent autour du petit Indien. Ils l'écoutaient attentivement, n'en revenant pas d'avoir un camarade de leur âge qui savait autant de choses, eux qui n'étaient jamais allés à l'école.

Intérieurement Pedro bouillonnait de rage. Il sentait que sa bande lui échappait.

— New York est tout entière construite sur une dalle naturelle de granite constamment humidifiée et chauffée par des nappes d'eau chaude souterraines. Et si la ville expulse ainsi, par toutes ces bouches d'égout et canalisations percées, des nuages opaques, c'est pour éviter que la Big Apple, la « Grosse Pomme », n'éclate !

Pedro interrompit Yomi.
— Et tu l'as trouvé où, ton drôle d'ami ?
— Chez des gens riches qui s'en servaient comme animal de compagnie.
— Volé ?
— Oui, si on veut. Maintenant, suivez-moi : je vais vous montrer ma grotte.

Tandis qu'ils se dirigeaient vers l'abri de Yomi, il se mit soudain à pleuvoir très fort.

Chapitre Cinq
Dans la jungle de New York

Les deux policiers étaient trempés jusqu'aux os. Manuel se releva.

— Écoute, Josh, tu vas être en retard. Rentre. Moi, je reste ici.

Josh tordit ses bas de pantalon. Le visage ruisselant, avec ses cheveux collés contre son crâne, ses jambes arquées, sa taille immense, il faisait pitié à voir. Un éclair illuminait ses yeux bruns. Le tonnerre grondait.

— À force de tirer sur la ficelle, tu risques de la casser et de te faire virer. Des fois, je me demande si ce n'est pas ça que tu cherches.

Il éternua et voyant qu'il ne pourrait soustraire Manuel à son poste d'observation, il courut jusqu'à sa voiture garée dans une allée, en contrebas de la colline.

Les quatre enfants s'étaient réfugiés dans la moite atmosphère de la cavité rocheuse. La pluie tombait en rideau continu devant l'entrée. Les gouttes martelaient le sol, les feuilles, et creusaient de petits cratères dans la boue. Yomi adossé au mur rêvait tout haut.

— Dans la forêt où je suis né, la mousson doit ressembler à cela. Des rigoles se forment et se jettent dans les grands fleuves bouillonnants troublés par la pluie.

— Il y a des piranhas là-bas ? demanda Yasmine.

Ses yeux de biche brillaient dans la faible clarté.

— Oui, des « caribes » et des raies d'eau douce venimeuses qui, enfoncées dans la vase, laissent dépasser leur dard foudroyant. Il y a aussi des poissons électriques, dont la décharge est plus violente que l'éclair, et des « babas » qui sont des petits crocodiles ressemblant à des troncs partant à la dérive au fil des eaux. L'air sent la sève fraîche et l'humus, les champignons gras poussent sur le bois mort. Des papillons, grands comme la main, illuminent la pénombre verte de leur reflet bleu argenté : on les appelle des « morphons » là-bas.

Yomi, adossé contre la paroi trempée qui embaumait le salpêtre, jeta un caillou au fond de la caverne. Un grognement s'échappa des ténèbres.

— C'est que nous ne sommes pas seuls, annonça-t-il calmement.

Les enfants devinrent blêmes, ils se traînèrent à quatre pattes vers la sortie, mus par la panique. Mais dehors la pluie redoublait de vigueur.

— N'ayez pas peur ! Ce n'est pas une bête méchante. Suivez-moi. Qui a un briquet ?

*

Peu rassurés, ils s'enfoncèrent plus profondément dans la caverne. Pedro avait sorti sa comète qu'il gardait en cas d'attaque.

— Ne sois pas bête, range-ça, tu vas lui faire peur !

Mais il ne voulait rien entendre. Mishi et Yasmine étaient trop occupés à découvrir cet univers insoupçonné, en plein milieu de New York, pour envisager une stratégie de défense. Ils se cognaient parfois, sans broncher.

— On y est presque.

La lueur fragile du briquet vacillait. Les visages s'illuminaient dans ce faible halo. Soudain des yeux rouge sang surgirent. Les enfants réprimèrent un cri. Devant eux s'élevait une double rangée de grillages. Projetant son ombre sinistre contre la paroi, la chose tournait comme un lion en cage. Son museau immense traînait par terre. Un long tube d'où jaillissait une langue rose, longue et fine qui balayait le sol méthodiquement. La bête semblait aveugle et dodelinait de la tête. Son mouvement régulier animait d'une vie autonome ses longs crins noirs et beiges frangés de blanc.

— C'est tout simplement monstrueux, souffla Pedro tournant la tête vers l'entrée de la grotte.

Les deux autres enfants roulaient des yeux en attendant une explication. De leur bouche ouverte

57

s'échappaient des nuages de vapeur blanche. Yasmine frissonnait. Seul Yomi osa avancer. Il tendit à Pedro le briquet dont la roulette commençait à lui brûler le pouce. De sa petite main marbrée de crasse, aux ongles démesurément longs, il poussa les grillages.

— Yasmine, passe-moi quelques fourmis, veux-tu ? dit-il en désignant un endroit sombre, au sol.

La fillette fit une moue de dégoût, mais s'exécuta. De sa menotte agile, elle rafla une dizaine d'insectes qui couraient dans tous les sens.

— Vas-y, tends-les lui, tu deviendras son amie.

Les enfants retenaient leur souffle. Soudain l'animal trouva dans l'obscurité sa pitance favorite. Il projeta sa fine langue gluante et l'enroula tout autour du poignet de la fillette. Puis il lécha doucement la peau fine de Yasmine qui gloussait.

— Ah ! ça chatouille !

Mishi caressa le pelage rêche sans grande conviction. Puis ils sentirent leurs mains. L'odeur de musc était si forte qu'ils détournèrent la tête.

— Tu vas enfin nous dire ce que c'est que ce machin.

Yomi prit son temps, il murmura à l'animal des mots doux dans sa langue tout en cardant la crinière avec ses doigts écartés.

— Un fourmilier. Il n'y a pas plus gentil.

— Mais alors, pourquoi le faire vivre comme ça, dans le noir ?

Yomi soupira sans regarder son auditoire.

— C'est vrai que ce n'est pas idéal, mais ça ne le dérange pas énormément. C'est un animal nocturne.

— Nocturne ? répéta Yasmine.

— Oui, qui sort seulement la nuit. Le jour il dort dans des abris comme celui-ci, une tanière en quelque sorte.

Je l'ai récupéré chez des gens qui ne lui donnaient que des fruits à manger. Insensé ! Il ne se nourrit que d'insectes. Ici, la grotte est taillée dans de la pierre fissurée. Tout autour de cet endroit, des fourmilières et des termitières communiquent et passent par cette cavité. Mais ça ne va pas durer. Il en consomme énormément. Et je crains l'arrivée de l'hiver. Même si l'humidité et la température restent quasiment constantes, ici.

— Sortons, dit Pedro en rebroussant chemin. J'étouffe.

Le petit groupe accepta l'idée avec soulagement. Ils rampèrent jusqu'au grand air. Là, ils s'étirèrent avec une immense satisfaction. Toute cette histoire les changeait de l'ordinaire.

Pendant ce temps, Manuel, transi, grelottait au sommet de son tertre.

— Au moins, bredouilla-t-il en essorant sa

chemise, je saurai où les trouver, maintenant.

Il aurait voulu se réchauffer en avalant un grand bol de café bouillant, mais il devait surveiller Yomi. Il était la clé de… Manuel ne savait pas comment nommer ce sentiment qui grandissait en lui. Ce n'était plus de la curiosité. Il avait l'impression de venir de la même famille. Il considérait Yomi comme un frère, peut-être. Manuel tourna et retourna cette idée dans sa tête, sans s'apercevoir qu'en même temps, il souriait.

*

Tout en bas, les quatre enfants, éblouis par la lumière du jour pourtant déclinante, essayaient de nettoyer un peu leurs vêtements crottés de boue. Si les autres n'avaient pas été là, Yomi serait allé prendre un bain bien mérité dans une pièce d'eau, au risque de choquer les derniers promeneurs et mettre un peu d'animation.

— Comment ça se fait que tu aimes autant les animaux ? demanda Yasmine. Tu les caresses, tu leur parles. Eux-mêmes semblent te reconnaître…

— Ce n'est pas simple à expliquer. Dans le pays d'où je viens, chacun de nous doit trouver l'animal qui pourra l'aider à réaliser tous ses souhaits. Quand on le rencontre enfin, il faut le vénérer et le respecter. Peu à peu, on devient lui et lui devient nous. On se métamorphose avec beaucoup d'expérience et de patience. Mais cet animal doit rester secret et seul l'enfant concerné le connaît.

Mishi, le petit asiatique, parut intéressé. Il annonça alors sur le ton de la plaisanterie :

— J'ai toujours voulu être un crocodile.

Il partit alors dans un grand éclat de rire.

— Regardez ! Ma peau pèle déjà en longues écailles.

— Idiot. Si tu te lavais plus souvent ! grogna Pedro tout en haussant les épaules.

— À moins que… Les CROCODILES ! hurla soudain Yomi… Tu as bien parlé de crocodiles ?

Le mot fut prononcé si fort que l'écho, renvoyé par l'abri-sous-roche, se répercuta jusqu'aux oreilles de Manuel.

— Crocodiles, crocodiles, répéta nerveusement le policier tout en sortant d'un sac plastique le petit répertoire. Ses doigts tremblaient, il grelottait. Ses dents claquaient, et il lui fallut une bonne minute pour séparer les pages collées par l'humidité infiltrée, malgré l'étanchéité du sachet.

— Lettre « C », cynocéphale, crotale, crécerelle, coyote, couleuvre… Pas de crocodile.

Yomi lui aussi, répéta « Crocodile », en fronçant les sourcils. Soudain, il frappa son poing dans sa main. C'était donc ça ! Il manquait à sa collection d'esprits de la forêt « l'hekura » du crocodile ! Ah, s'il n'avait pas perdu le répertoire de son père, il pourrait retrouver une piste.

Il redit encore « Crocodile, crocodile ».

Après tout ne ressentait-il pas un plaisir étrange à nager, même dans les eaux sales du port? Et s'il était finalement un crocodile?

Mishi reprit:

— Oui, mes parents étaient vietnamiens. Ils m'ont raconté qu'ils mangeaient certains animaux, y compris des crocodiles, pour s'attribuer leur force ou leur agilité. C'est pour cela que je voudrais bien être caïman dans une autre vie.

Yomi posa sa main sur l'épaule de Mishi.

— Sais-tu où l'on peut en trouver?

Mishi haussa les sourcils.

— Dans Chinatown, je suppose. C'est là que mes parents allaient.

— Si ça ne dérange personne, je voudrais bien y aller, tout de suite.

Rien ne faisait plus plaisir à Mishi et à Yasmine que de faire plaisir à Yomi. Le petit groupe se mit en marche afin d'élaborer dans leur cachette un moyen de se rendre à Chinatown de manière discrète.

Le petit Indien, tout à ses pensées, suivait ses camarades. La cohorte fatiguée, désœuvrée et en loques quitta Central Park, telle une armée de petits soldats des rues en déroute. Suivie de près par Manuel, trempé et maculé de boue, déguisé malgré lui en simple clochard.

Au poste de police, Burton et Josh bavardaient. Curieusement, Burton ne s'était pas fâché quand Josh lui avait annoncé la décision de Manuel. Il avait simplement caressé ses cheveux poivre et sel, lissé sa moustache épaisse. Puis il avait bombé le torse avant de soupirer :

— De toute manière, ce John Marshal n'est pas très clair.

— C'est ce que je pense aussi, répondit Josh. Qu'il n'ait pas prévenu la police, dès la disparition de Yomi, me paraît étrange aussi. Mais enfin, on ne peut pas soupçonner tout le monde !

Burton poursuivit son raisonnement.

— Pour tout dire, c'est parce que ce type ne m'a pas semblé clair dès le départ que je vous ai confié l'affaire.

— Que savez-vous sur lui ? demanda Josh, intéressé.

— Je sais que c'est un homme d'affaires extrêmement riche et médiatique. Il s'est souvent affiché avec cet enfant à la télévision, dans les journaux. Ce qui est bizarre, c'est qu'il n'a même pas prévenu la presse de sa disparition. Une annonce officielle aurait pu aider à retrouver son fils.

— Et d'où vient sa fortune ?

Burton marmonna laconiquement.

— L'import-export : minerai, pétrole, ciment, agroalimentaire, il touche un peu à tous les secteurs.

Puis il se leva lentement et s'étira.

— Capitaine ?

— Oui ?

— Je pensais à un truc.

— Dites.

— Vous savez que Manuel ne court pas après les honneurs. Je ne sais pas pourquoi il s'intéresse tant à cette affaire, mais je crois que si nous arrivions à savoir ce que ce John Marshal a dans le ventre, le District Attorney vous en serait infiniment reconnaissant.

Burton sourit, sa carcasse monumentale frémissait à la pensée d'avoir son nom à la une des journaux.

— Je n'en doute pas, assura-t-il sans se départir de son calme.

— J'aimerais que vous m'autorisiez à me rendre au domicile des Marshal afin de mettre leur appartement sous surveillance, continua Josh.

— Je veux bien, mais c'est impossible.

— Pourquoi ?

— Ce n'est pas dans notre circonscription. Nous n'avons aucun droit d'enquêter à l'extérieur du Bronx. Cela relève d'un autre commissariat.

Josh se garda bien de lui dire qu'ils avaient déjà interrogé, hors service commandé, une des amies des Marshal résidant à Greenwich Village !

— Admettons que vous m'accordiez une permission de quelques jours.

Burton claqua des doigts.

— Antoniny ?

Un jeune policier italien apparut.

— Oui, capitaine ?

— Vous venez d'accepter une permutation de service avec Josh, félicitations !

*

La pluie martelait les vitres de la bibliothèque de John Marshal avec une violence extrême. Le ciel violet semblait s'abattre sur la ville écrasée par les flots.

John regarda sa montre. Barbara, sa femme, était encore à son cours de yoga. Elle ne reviendrait pas avant dix-neuf heures et ne rencontrerait donc pas le visiteur qu'il attendait. Il ne vit pas, de l'autre côté de la rue, une voiture garée juste en face de l'immeuble. Josh, allongé sur la banquette arrière, dans l'ombre, avait une vision directe sur la porte-fenêtre des Marshal.

— Tiens ! De la visite !

Un homme venait d'entrer. Le jeune policier en civil assista à toute la scène, tel un spectacle d'ombres chinoises.

L'homme ferma son parapluie et le secoua négligemment sur les peaux et fourrures dispersées dans l'appartement.

À l'intérieur, John observait le détective privé, recommandé par un ami cher et convoqué tout de suite après, par téléphone. Il se montrait grossier, sans-gêne, aigri et sans doute jaloux de la richesse des autres, pour l'instant.

— Très joli, toutes ces bébêtes !

L'homme montra, de la pointe de son parapluie dégoulinant, les murs du bureau ornés de trophées de tapirs, de cabiais, de tamanoirs. Un singe empaillé semblait encore vivant. À côté de lui se dressait un paresseux. Une peau d'anaconda géant faisait pratiquement tout le tour de la pièce.

— Dites donc, ce n'est pas vous le multimillionnaire qui voulait verser des sommes folles pour la sauvegarde de la nature ?

Marshal s'impatientait, mais il devait fournir une explication pour que ce curieux le laisse enfin tranquille. Il fronça ses sourcils proéminents et broussailleux.

— Écoutez... Nous dirons que c'est une simple façon de me repentir ! C'est vrai, autrefois j'ai été un grand chasseur. Les safaris étaient mon vice, ma passion. J'aurais tout donné pour avoir un éléphant d'Afrique au bout de ma lunette. Mais maintenant...

L'homme l'arrêta. Il plissa ses yeux clairs, et les planta dans ceux de son futur client.

— L'éléphant, pour l'abattre, vous lui mettez une balle à quel endroit ?

John ne comprit pas le sens de sa question et répondit au hasard.

— Mais dans le cœur bien sûr, où voulez-vous en venir, monsieur le détective ?

L'enquêteur baissa le regard, mains dans les poches de son pantalon qu'il déformait de façon ridicule. Il poussa du bout de son soulier le museau empaillé d'un ours polaire, dont la peau entière formait un large tapis jaunâtre.

— Nulle part. C'était pour savoir.

John trouva tout cela ridicule. Et sa femme qui pouvait arriver d'une minute à l'autre ! Il jeta un rapide coup d'œil à la pendule et sortit furtivement de sa poche une photo découpée dans un magazine mondain qui le représentait en train de porter l'enfant, et derrière, griffonna son prénom : Yomi et il la glissa enfin dans la main de l'homme en noir, avec une liasse de billets. Ça n'avait pas duré plus de deux secondes.

— Retrouvez cet enfant et le répertoire qu'il m'a dérobé, avant la police. Je vous paierai ce qu'il faut. Le tout, sans un mot.

Puis John poussa le détective vers la sortie.

Dans sa voiture, Josh s'était redressé, et fit semblant de lire un journal. La nuit était totale en ce soir d'hiver.

Le policier en civil n'aperçut qu'une ombre chinoise. Il lui était impossible de distinguer les yeux clairs de Donald « le privé ».

Sa chevelure blond cendré, cet air las qu'il traînait, et ce bronzage patiemment entretenu dans l'espoir, un jour, de véritables vacances. Car si Donald était ironique, agressif, aigri, c'était à cause de l'ingratitude de son travail.

Il en aurait bien volontiers changé, mais c'était le seul métier qu'il connaissait. Il excellait d'ailleurs dans les travaux d'investigation. Et la mission qu'on venait de lui confier ce soir risquait de lui rapporter gros. Un ou deux coups comme cela, et il pourrait filer à Hawaï se prendre une année de vacances sous les cocotiers, à 40 °C à l'ombre.

Il plongea sa main dans la liasse de billets gonflant la poche de son blouson. Soudain, il s'arrêta. Dans une flaque de pluie, il distingua une lueur rasante.

Les codes d'une voiture, loin derrière lui, s'y reflétaient : immobiles quand il se tenait immobile, et mouvants quand il reprenait sa marche.

— *Déjà !* s'exclama-t-il intérieurement. *La police aurait-elle fait de gros progrès ?*

Sans accélérer le pas, il bifurqua pour rejoindre le grand boulevard de Broadway, seul axe sinueux de la ville. Et pour cause, c'est autour de cette ancienne piste indienne que Manhattan fut construite, s'étendant par la suite parfaitement quadrillée par des avenues, rues et ruelles tracées au cordeau. Des enseignes lumineuses, aussi larges que les façades des immeubles qui les portaient, clignotaient. Des policiers à cheval, coiffés d'un casque colonial, patrouillaient. Cette garde montée ne se remarquait nulle part ailleurs dans New York. Mais là, les rues étaient tortueuses, les impasses multiples, les arrière-cours hantées par de sombres trafics. Délinquance et musique représentaient les deux seules activités du quartier.

— À tout de suite, monsieur Je-ne-sais-qui, murmura Donald en se noyant en une seconde dans la foule de noctambules.

La voiture s'arrêta. Josh donna un coup de poing rageur sur son volant.

— Flûte, perdu ! marmonna-t-il.

Donald fit volte-face, remontant à contre-courant le flot des badauds. Ce faisant, il frôla la voiture de Josh, et nota au passage le visage de son poursuivant. Puis le détective héla un taxi.

— Suivez cette voiture, s'il vous plaît, sans vous faire remarquer.

Donald rit alors en son for intérieur.

— *Tel est pris qui croyait prendre, monsieur le flic en* civil.

Chapitre Six
Un mystérieux HEKURA

Pendant ce temps, Manuel avait suivi les enfants jusque sur la plage du Bronx. Il vit la cabane faite de bric et de broc, entre les rochers mazoutés, face à la baie pestilentielle.

Il attendit quelques minutes ensuite, ne sachant pas exactement ce qu'il devait faire. Mais quand, le soir tombant, l'un des gamins sortit pour allumer un grand feu, Manuel préféra ne pas intervenir, pas maintenant. De plus, seul contre quatre gosses des rues, il serait perdant. Les flammes grossissaient, le petit-bois de flottage devait être gorgé d'huile. La lueur risquait de le trahir. Épuisé, Manuel préféra faire demi-tour. Il savait désormais où les trouver.

Sur le chemin du retour, ses souvenirs affluèrent au point de lui faire perdre la notion du temps. Il se retrouva à Harlem sans trop savoir comment. C'était son quartier, principalement constitué de maisons bancales empilées entre les rues sales. Tous les escaliers de grès rouge se ressemblaient, avec leurs balustrades sculptées de gargouilles bariolées. Des adolescents, réunis par gangs, étaient avachis sur les perrons, une radio tonitruante à portée d'oreille. Et tout ça le faisait sourire. Harlem.

Il l'aimait ce quartier. Il y avait réuni ici sa seule vraie famille, les habitants du bloc qu'il habitait.

Manuel poussa la porte de son appartement et s'étendit sur son lit, songeur. L'image de sa mère lui revint.

Il ferma les yeux et la revit tressant des paniers. Il voyait son corps rond et épais de femme indienne, sa tonsure et les plumes d'apparat dont elle ornait son visage. Des images fugitives passèrent devant ses yeux. Il se revit tout petit, perdu sur le pont d'un navire. Les vagues.

Un homme en blanc lui donnait la main, un missionnaire peut-être. Puis des cris d'enfants dans un orphelinat, une langue inconnue. Quand il fut adolescent, ses compagnons continuèrent à le traiter d'Indien, de Peau-Rouge.

Peau-Rouge… il commença à rechercher ses origines sur la piste de ces Indiens d'Amérique du Nord. Plus tard, il entrait dans la police, espérant avoir facilement accès aux dossiers d'état civil. Peine perdue.

Jamais, il n'avait pensé à chercher en Amérique latine.

La lassitude l'envahissait. Manuel allait s'endormir quand la sonnerie grêle du téléphone retentit. Il sauta du lit et décrocha le vieux combiné.

— Allô, répondit-il d'une voix pâteuse.

— Barbara Marshal à l'appareil. J'appelle de chez

moi, mon mari est absent. Excusez-moi de vous déranger à cette heure. J'ai eu votre numéro par l'intermédiaire de M. Burton.

Manuel, à moitié endormi, ne comprit rien.

— Il faut que je vous avoue quelque chose, enchaîna-t-elle nerveusement. Je ne veux me confier qu'à vous. Vous êtes sûrement le seul à pouvoir m'aider, à comprendre mon petit Yomi. Vous êtes tous deux issus de la même culture. Retrouvez-le.

La voix de Barbara était entrecoupée de sanglots.

— Calmez-vous, je vous en prie. Que vouliez-vous me dire ? Je vous écoute.

Il y eut un silence au bout du fil, une hésitation.

— Eh bien voilà. Après avoir soustrait, moyennant une grosse somme d'argent, Yomi à l'orphelinat, nous sommes montés sur un navire brésilien, un bananier qui faisait route sur Miami. En haute mer, avant de pénétrer dans les eaux territoriales américaines, un ami de John est venu nous récupérer en pleine nuit avec son yacht. Yomi pleurait, je m'en souviens. Et je ne savais comment le calmer. Dans les soutes du luxueux bateau, il y avait plusieurs caisses volumineuses. J'avais dix ans de moins à l'époque et surtout, j'étais aveuglément amoureuse, cela ne m'a pas surprise outre mesure. Maintenant, à voir le comportement étrange de mon mari, je me demande si John n'est pas impliqué dans quelque honteux trafic.

J'ai peur, très peur. Depuis quelques semaines,

mon mari reçoit des coups de fil à n'importe quelle heure de la nuit. Je suis sûre qu'il me cache quelque chose. N'est-ce pas sa faute si Yomi a disparu ? Sinon, pourquoi m'a-t-il formellement interdit de prévenir la police dès la disparition, me rassurant en inventant une équipe de détectives privés à sa recherche ? Il voulait que toute cette histoire reste confidentielle.

— Madame Marshal, puis-je vous poser une question, disons… absurde ?

— Oui.

— Avez-vous, parmi vos amis, quelqu'un qui posséderait un crocodile ?

— Non. Pourquoi ? Cela a-t-il un rapport avec Yomi ?

— Peut-être. Encore une chose : votre mari est dans l'import-export, n'est-ce pas ?

— Oui.

— Quelle compagnie maritime utilise-t-il habituellement ?

— Des navires avec pavillon de complaisance panaméen, je crois.

— Merci.

Et, comme Manuel ne pouvait laisser ainsi cette mère désespérée, il annonça :

— Madame, je peux vous affirmer que Yomi est vivant, et en bonne santé.

À l'autre bout du fil, Barbara répéta :

— Il est vivant. Il est vivant… Oh ! Merci, merci

de tout cœur. Quand le reverrai-je ?

— Pour le moment, il est préférable qu'il reste où il est. Il y est en totale sécurité. Bien entendu votre mari ne doit absolument rien savoir. Je compte sur vous.

— Entendu, entendu, bégaya Barbara. Je vais le surveiller, je vous tiens au courant. Oh ! Mon Yomi, mon petit Yomi.

À peine eut-il raccroché, qu'il composa le numéro de Josh. Avant que son collègue ne parle, il entendit un concert de klaxons.

— Qu'est-ce que tu fais dans les embouteillages à cette heure ? demanda Manuel.

— Je suis dans Broadway. C'est la sortie des spectacles, il y a un monde fou ! Je viens de passer trois heures à me geler devant l'immeuble des Marshal, et j'ai une sacrée nouvelle à t'annoncer ! J'ai l'impression que John Marshal a engagé un privé. Je l'ai vu lui remettre un document et surtout une sacrée liasse de billets.

— Tu as vu ça, toi ?

— Ah ben, ils n'étaient pas très discrets. Le Marshal doit avoir des ennuis qui lui embrument le cerveau. Il ne se cache pas pour faire ses petites affaires.

— Hum. C'est louche. Surtout que je viens de recevoir un coup de fil, à l'instant même.

— De Marshal ?

— Oui ! Mais de Barbara Marshal. En personne. Elle m'a raconté comment ils ont adopté le gosse. En fait, ils l'ont acheté. D'après ce qu'elle m'a dit et ce qu'on sait déjà, j'en déduis que le John est mouillé jusqu'au cou dans un trafic d'animaux en provenance d'Amérique du Sud et d'Amérique centrale. Il faudrait surveiller tous les paquebots panaméens qui pénètrent dans la baie.

— Ouais… On tient une piste, là. On continue demain?

— Non, cette nuit, répondit Manuel.

— Comment? Mais je suis crevé, moi!

Pare-choc contre pare-choc, Josh avançait lentement.

— Impossible, c'est la marée haute en ce moment. Les navires commencent à rentrer au port. C'est ce soir ou jamais, le temps presse. Rendez-vous sur le pont de Brooklyn dans une heure.

Manuel raccrocha. Josh, interloqué, regarda le combiné. Puis il le laissa bruyamment tomber sur son support, en maudissant son ami.

— Il ne s'en fait pas quand même! Je me tue en heures supplémentaires pour lui, et ça ne lui suffit pas. Il veut me faire faire des nocturnes, maintenant!

Manuel était son ami. En ce moment où il allait mal, Josh voulait tout faire pour l'aider. Il tourna lentement le volant pour sortir de l'embouteillage et prendre une rue perpendiculaire, qui le mènerait plus vite au port. Derrière lui, un taxi jaune à carreaux noirs ébaucha la même manœuvre.

Les deux policiers se retrouvèrent sur le quai principal, comme si le rendez-vous avait été précisé à cet endroit-là. Il fallait des années de travail en équipe pour en arriver à un tel degré de complicité.

Ils marchèrent côte à côte sur la passerelle de bois, échangeant les résultats de leur enquête sous les arches monumentales du pont de Brooklyn. Un navire pénétra lentement dans la rade. Manuel sortit le répertoire de Yomi, à la recherche d'un indice. Mais il ne vit qu'un fouillis d'adresses surchargé par les annotations de l'enfant.

— Un conseil : laisse tomber. Tu ne trouveras rien qui puisse nous faire avancer dans ce fichu carnet. Tu ferais mieux de surveiller avec moi le pavillon des cargos qui rentrent dans le port.

Mais Manuel ne répondit pas. Ses lèvres bougèrent et il tourna de plus en plus fébrilement les pages du répertoire. À la page « H », il venait de déchiffrer un mot.

— Écoute ça, Josh !

Il se mit à lire à haute voix, en détachant chaque syllabe :
— « hé-ku-ra ».

Josh regarda son ami sans trop comprendre.
— Et alors ? Tu mets un « r » devant et ça fait « ré-cura ». Tu ne gagneras pas une partie de Scrabble avec des

mots comme ça. Et tu sais ce que ça veut dire ?

Manuel eut envie de crier de joie. Son corps frissonna. Il ferma violemment le répertoire. Des parcelles de papier jauni tombèrent, tournoyèrent, puis se posèrent sur le plancher de bois.
— Bien sûr ! J'aurais dû y penser !

Josh s'inquiéta.
— Mais quoi, qu'est-ce qui se passe, explique !

Manuel serra les poings.
— « hé-ku-ra » ! Bien sûr ! Ça ne te dit rien à toi !

Josh se gratta la tempe.
— Ben si ! Je t'ai dit : tu le places derrière un « r » sur...
— Sais-tu ce qu'est un « animal totem » ? le coupa Manuel.
— Un animal totem ! Non, je ne vois pas. C'est pas ces trucs que les Indiens plantaient dans le sol pour leurs soirées Karaoké, là ?

Manuel sentait son cœur battre plus vite, pas seulement d'avoir fait cette découverte mais quelque part en lui-même, il découvrait l'origine de ses rêves. Plus il avançait dans cette enquête, plus il voyait ressurgir les images oubliées de son propre passé.
La corne de brume d'un cargo résonna. Le bateau s'engageait lentement sous le pont. Les guirlandes

d'ampoules éclairant le bastingage se reflétèrent sur l'eau entre les deux pylônes. Tandis que Josh notait consciencieusement sur un carnet la nationalité du bâtiment et l'heure précise de son mouillage, Manuel eut une vision. Celle du « shabono » où il était né, vaste hutte circulaire tendue de hamacs comme les haubans du pont suspendu de Brooklyn.

— Josh, c'est bizarre, mais devant toutes ces ampoules illuminées, je me revois en train de suspendre à un fil des vers luisants qui diffusaient jusqu'au matin, dans les brumes molles, une lueur surnaturelle. Nos corps étaient dévorés par les moustiques. Il régnait une odeur de feu mouillé et de manioc. La jungle se peuplait de bruits légers, souvent couverts par le cri rauque de singes hurleurs à collier.

Josh cessa d'observer la baie et les eaux brunes de l'East River qui viennent se mélanger à l'Atlantique, au niveau de la statue de la Liberté.

En écoutant Manuel, il lui sembla voir le delta de l'Orénoque ou de l'Amazone. Les paquebots qui rentraient au port ressemblaient alors à des dauphins.

— Est-ce vrai que dans ton pays il y a des dauphins roses ?

— Oui, et bien d'autres animaux. Je m'en souviens. La vessie gonflée du tapir devenait un ballon. Les tribus échangeaient le bec du toucan en gage d'amitié. Les fourmis rouges à grosses têtes servaient à agrafer les bords des plaies. On les faisait mordre la chair avec leurs crochets. Le venin qu'elles possèdent désinfectait. Puis, il

79

fallait tourner la bête de manière que le corps se détache et qu'il ne reste plus que la tête. Et enfin l'ocelot, oui, le petit ocelot que j'avais apprivoisé, parce que mon père avait tué sa mère pour lui couper la queue et l'offrir au « chaman ». C'est étrange comme d'un seul coup tout me revient.

Le détective privé de Marshal, qui avait suivi Josh, avait tout entendu, ou presque. Il se racla la gorge et cracha dans le fleuve. Il n'y avait plus guère de monde sur le pont et il risquait de se faire remarquer. Il s'apprêtait à partir quand le vent lui rapporta un morceau de papier échappé du répertoire. Négligemment, il mit le pied dessus. Puis il se pencha, fit mine de relacer son soulier. Sans prendre le temps de regarder, il glissa le fragment dans sa chaussette et s'éloigna en direction du métro. La nuit était totale.

— Bon sang ! Ce que ces flics peuvent être bêtes !

Donald remonta le col de son imperméable avant de rejoindre la foule, se mêlant aux trois millions et demi de passagers qui s'éparpillaient chaque jour sur les trois cent soixante-dix kilomètres du réseau.

C'est seulement perdu au milieu de cet anonymat qu'il envisagea de décrypter le fragment de papier ramassé sur le quai.

Il laissa passer plusieurs rames. Il rêvait de richesse. Gagner une énorme pile de billets, faire un « coup » dans son jargon, et partir sous les tropiques, s'installer sur les bords d'un lagon, et se faire dorer au soleil.

— Je sens que cette affaire va contribuer à la réalisation de mon rêve…

L'esprit joyeux, Donald examina le document. Cela devait faire partie d'un répertoire, car le morceau de page comportait un décrochement avec un « E » imprimé sur le côté.

— Rien d'intéressant.

Il s'apprêtait à jeter le bout de papier, quand il aperçut en tout petit un mot écrit à la main, presque illisible tant l'encre était délavée. Il monta dans un wagon, préoccupé par sa découverte. Donald épela : « Exotic… »

Le reste était noyé dans les taches. Il répéta « Exotic ». Puis il sortit la photo du gosse, la retourna, et lut le prénom : *Yomi.*

— Cette écriture, mais c'est celle du père ! La même… Il grogna, ferma son poing.

— C'est bien ce que je pensais… Marshal, je te tiens ! Et si mes suppositions se confirment, je serai bien plus riche que prévu.

Donald déboula dans le quartier chinois, poussé par la foule. Une masse de travailleurs asiatiques sortait des entrailles de la terre avant de se répandre sur le trottoir, dans les rues, les impasses. Le détective jubila. Il n'avait rien contre ce gosse, ni contre les mômes en général. Par contre les gens riches et corrompus, qui l'employaient souvent, lui donnaient de plus en plus la nausée.

— Tous friqués, sportifs, mariés à des femmes superbes qu'ils me font surveiller, car ils ne veulent surtout pas les perdre. Je hais ce boulot.

Il allait enfin rigoler.

De leur côté, les enfants préparaient une descente dans le quartier chinois. Yomi s'était fabriqué une comète, en suivant les directives de Pedro. Il avait pris une longue corde et une pointe faite d'acier et non de bois.

Aussi grosse qu'un manche de couteau et pointue comme un clou, et longue de trente centimètres, au moins, si jamais elle atteignait sa cible...

Côté corde, le fer était tordu, un peu comme un grappin. Du coup, il pouvait aussi s'en servir comme d'un pic.

Les autres aussi s'étaient équipés, comme s'ils allaient à la guerre. Mais...

— Tu crois qu'on va y arriver ? demanda Yasmine.

Mishi parut sûr de lui. Jamais ses pupilles n'avaient autant brillé dans les deux échancrures de son visage. Il était fébrile. Depuis quand n'était-il plus retourné dans son quartier natal ?

Pedro rechignait à s'aventurer dans Chinatown comme dans tous les arrondissements qu'il ne connaissait pas.

— On va y laisser notre peau, exactement comme vos crocodiles.

Et même si c'était trop tard, si tout avait déjà été décidé, Pedro essaya une dernière fois de les retenir.

— On ferait mieux de faire des provisions et de rejoindre la gare ferroviaire de Grand Central comme à chaque hiver. Si on tarde, il n'y aura plus de place sur « la Voie Birmane ».

— Qu'est-ce que c'est « la Voie Birmane »? demanda Yomi en trottinant.

— On t'expliquera!

Pedro protesta encore :

— On se moque bien de tes « animaux totems ». Tu imagines peut-être que tu vas te transformer en bestiole, et retrouver ta forêt, espèce de sauvage! Tu crois que c'est si simple! Et pour nous, ce sera quoi?

Pour calmer ses amis, Yomi promit qu'il ne les abandonnerait pas, quoi qu'il arrive. Pour les convaincre, il dit à Pedro :

— Tu es africain, Yasmine est arabe, Mishi vietnamien, je suis indien, et pourtant nous sommes tous américains. C'est ça, New York!

Il était très tard lorsque Donald pénétra dans Chinatown. Le détective traversa une foule qui ne semblait vivre que la nuit. Des centaines de regards le fixèrent. Il se sentit étranger, repéré. Toutes ces odeurs d'épices, de riz bouilli, de canard laqué, tous ces parfums de jasmin, de graisse de porc brûlée, d'encens, le prenaient à la gorge et l'enivraient. Ses enquêtes l'avaient rarement conduit ici.

Une pagode immense abritait la banque de Hong Kong. Des lampions rouges illuminaient les magasins, des banderoles frappées d'idéogrammes illisibles claquaient dans le ciel.

Le détective remonta Mott Street, le quartier des restaurants et des supermarchés, où le tout dernier jeu électronique « made in Taïwan » brillait de toutes ses couleurs plus vraies que les vraies.

À côté, un vieux tableau de nacre semblait hors du temps. D'anciens vases bleus de la période Ming finissaient tranquillement leur vie et des ivoires fumés par le temps ainsi que des jades patinés prenaient consciencieusement la poussière.

Soudain apparut une enseigne.

— J'y suis. Quelle chance !

Il sortit le petit morceau de papier de sa poche « Exotic restaurant », c'était bien cela, il avait donc bien deviné en lisant le mot « Exotic » griffonné sur le bout de papier.

Il entra, actionnant au passage une clochette aigrelette. Mais il fut vite stoppé par un géant. Bras croisés sur son torse nu, il se tenait debout, occupant toute la largeur de la porte. Ses tatouages, représentant des dragons crachant des flammes, brillaient sous la sueur.

Donald remarqua que les dragons ressemblaient étrangement à des crocodiles animés par le jeu des muscles. Le détective leva la tête et se força à sourire. Le colosse au crâne rasé resta impassible.

Donald avala sa salive.

— C'est possible de souper ?

Le colosse restait muet. Donald sortit ce qui lui passa alors par la tête, inspiré par le tatouage.

— Soupe de crocodile, vous avez ?

Le gardien planta son regard dans celui du petit homme.

— Non, interdit par la loi ! lâcha-t-il enfin.

Et la porte se referma aussitôt.

Mais Donald avait aperçu l'essentiel : lampes basses au-dessus d'un tapis de jeu, rires, tintements de verres, et fracas des dés.

Ambiance trouble, mais ce qui était sûr, c'est que des gens mangeaient. L'un d'eux se trouvait près d'un gigantesque aquarium lumineux. Il lui avait semblé reconnaître, de dos, le profil carré de son client, Marshal. Donald n'osait y croire. Il voulait une preuve. Il se précipita vers une cabine en forme de pagode rouge et verte, puis composa un numéro. Une voix faible répondit, entrecoupée de sanglots.

— Madame Marshal ?

— Oui, murmura la voix.

— Puis-je parler à M. Marshal, s'il vous plaît ?

— Il n'est pas là, gémit Barbara en reniflant. Il est sorti ce soir. De la part de qui ?

Donald exulta. Il brandit son poing gauche, ses lèvres se crispèrent sur un sourire. Il raccrocha, se frottant les mains.

— C'était bien lui dans le restaurant. Mais quels rapports mon riche client entretient-il avec la pègre new-yorkaise? Et quels sont ses liens avec le milieu mondain et artistique de Soho, dont la mode est de jouer justement au gardien de zoo? Et surtout quel rôle joue ce gosse dans tout ça? Pourquoi Marshal tient-il tant à retrouver ce gamin avant la police? Si ce n'est parce que celui-ci est parti avec son répertoire sur lequel était inscrit, entre autres, le nom de ce restaurant que les flics n'ont même pas eu la présence d'esprit de relever!

Donald rumina ces informations et crut avoir trouvé, mais il n'en était pas sûr.

Vers une heure du matin, personne n'était encore sorti du restaurant. Donald faisait les cent pas depuis des heures, le col relevé de son blouson ne suffisait plus à le protéger du froid.

— Il doit y avoir une sortie dérobée, se dit-il, dépité. Tant pis, je reviendrai.

Donald s'apprêtait à partir, quand il entendit un bruit anormal.

— Oh! Oh! murmura-t-il pour lui seul. Il y a du monde dans l'arrière-cour.

Chapitre sept
Le Dieu CAÏMAN

Pendant ce temps, les deux jeunes policiers étaient de retour au commissariat. Manuel joua aux devinettes auprès de ses collègues de la brigade.

— Si je te dis « crocodile », à quoi tu penses ?

La plupart haussèrent les épaules en donnant des réponses évasives. Sauf Antoniny, l'Italien, qui répondit avec un fort accent latin :

— Chaussures.

Sur le moment Manuel ne comprit pas. L'Italien continua :

— Si j'avais de l'argent, je m'achèterais une belle paire de chaussures en peau de crocodile.

Le visage de Manuel devint radieux. Il lui serra la main. Pourquoi n'y avait-il pas pensé plus tôt ?

— Et tu les achèterais où, tes chaussures ?

— Je ne veux pas paraître chauvin, mais j'irais chez un maroquinier de Little Italy, la Petite Italie.

— Sacré Antoniny ! Si tout marche comme je le

87

souhaite, je te la paye ta paire de mocassins.

Antoniny sourit, et ajouta :
— Je chausse du 43 et je peux même te donner une bonne adresse. Surtout, ne dis pas que tu viens de ma part.

Il griffonna sur son calepin un nom de magasin. Et ajouta :
— Tu peux y aller maintenant, si tu veux.
— Mais, il est vingt-deux heures, il doit être fermé.

Antoniny sourit.
— Tu oublies qu'on a gardé nos habitudes méridionales. On vit la nuit, dans mon quartier ! D'autant plus que c'est une fabrique…

Antoniny se pencha et, protégeant ses lèvres des regards indiscrets, l'œil en coin, il murmura :
— Qu'on pourrait qualifier de clandestine.

Josh et Manuel stoppèrent leur voiture en bordure de Little Italy.
— Manuel, crois-tu vraiment que nous trouverons une piste sérieuse dans ce quartier ? demanda Josh.

Son ami fut affirmatif.
— J'ai épluché toute la réglementation concernant le nombre d'importations d'espèces animales d'origine

étrangère. Le résultat est clair. Les chiffres officiellement déclarés doivent être multipliés par dix pour justifier la quantité d'articles de luxe produits sur le territoire chaque année.

— Y compris le croco ?

— Je dirais que c'est sur cette matière première que les chiffres semblent les plus controversés, avec les sacs à main, les chaussures, les sous-main, attachés-cases, portefeuilles, ceintures et tout le reste. Je suis persuadé que la piste d'Antoniny est la bonne.

Ils s'engagèrent dans un dédale de ruelles tortueuses. À l'adresse indiquée, ils poussèrent la porte d'une boutique et découvrirent une sorte de caverne préhistorique tendue d'épidermes tannés, de cuirs en lambeaux, de peaux bouillies.

— Bonjour, monsieur, lança Manuel à l'homme assis devant un établi.

Pedronetti, le patron, se retourna pour les observer, puis lentement, il se mit debout et vint à leur rencontre.

— Que puis-je faire pour vous, messieurs ?

— Nous cherchons des articles fabriqués avec du cuir de crocodile, ou de caïman ou d'autres bestioles dans le genre.

Pedronetti sourit.

— Je ne fais pas de contrebande, messieurs les policiers.

— Ah! Je crois que nous sommes découverts, ironisa Josh.

— Je reçois régulièrement la visite de vos collègues et aussi de la répression des fraudes. J'ai appris à vous reconnaître. Vous êtes nouveaux, non?

— En quelque sorte, oui. Nous sommes à la recherche d'un enfant, et la petite piste de notre enquête croise votre boutique. Elle passe même en plein milieu, je dirais.

— Je n'ai rien à me reprocher. Et je ne suis pas au courant d'enlèvement. Je ne pense pas vous être de quelque utilité que ce soit.

Manuel hocha la tête. Il comprenait très bien le comportement de cet homme.

— Si je voulais me fournir en peau de crocodile, vous sauriez m'indiquer… disons, la direction, en gros… On ne vous veut aucun mal. On enquête juste sur la disparition d'un garçon d'une dizaine d'années et j'ai tendance à croire qu'il cherche, lui aussi, des crocodiles. J'ai peur qu'il ne réalise pas à quel point sa vie serait en danger face à un lézard de cette taille. Vous pourriez peut-être nous aider à les trouver en premier.

Pedronetti soupesa le pour et le contre. Il se demandait ce qu'il ferait s'il s'agissait de son propre fils. De plus, il savait reconnaître les bons policiers, les « gentils », ceux qui savent que la vie n'est pas ou toute blanche ou toute noire.

— Je ne peux rien vous dire, messieurs, mais si

j'étais vous, j'irais me promener du côté de l'« Exotic Restaurant », dans Mott Street.

Il regarda les deux policiers, tour à tour, sondant leur âme après sa révélation.

— Je n'ai pas pour habitude d'aider les flics et je prends des risques, là. Mais vous me paraissez honnêtes tous les deux.

Puis il retourna s'asseoir et sans même les regarder, leur dit :
— Adieu, messieurs. J'ai du travail et je ne voudrais pas que votre présence m'attire des ennuis.

Quand ils eurent quitté l'atelier, Pedronetti ferma les yeux un instant, se demandant s'il ne venait pas de signer son arrêt de mort.

Ils se rendirent au commissariat. Même s'ils n'avaient aucune obligation, dans l'immédiat, ils préféraient avoir une tacite approbation de la part de leur chef que de faire totalement cavaliers seuls. Une enquête se fait en équipe.

Burton écouta leur rapport et fut de plus en plus intéressé par l'enquête de ses deux jeunes subordonnés.
— Vous allez peut-être démanteler un important réseau de trafiquants d'animaux, mais qui vous dit qu'il y a réellement un rapport avec l'enfant ?
Josh, sûr de lui, répondit :

— Si on ne va pas voir, on ne le saura jamais.

— OK, je suis à 100 % avec vous, les gars. Apportez-moi des preuves et surtout, soyez prudents. S'ils sont ceux que vous dites, ce ne sont sûrement pas des anges.

Les enfants arrivèrent dans le quartier chinois. Dans les rues sombres, de maigres chats en piteux état cherchaient de quoi survivre un jour de plus dans cette jungle urbaine. Ils fouillaient les poubelles au péril de leur vie. Aussi, au moindre mouvement, avaient-ils l'habitude de déguerpir sans demander leur reste.

— Eh! les gars, venez voir ça.

Pedro pointa son doigt sur les débris.

— Ben, mon vieux! Dans ce restaurant, ils font vraiment manger n'importe quoi à leurs clients! murmura Yasmine en faisant la moue.

— Ouais. Je note l'adresse pour ne pas y aller quand j'aurai de l'argent, plaisanta Pedro, cynique.

Sous leurs pieds, toutes sortes de côtes et de vertèbres craquèrent, parmi des lambeaux de peaux de serpents, à demi dévorés par les chats. Dégoûté, Pedro shoota dans une carapace de tortue vide qui éclata contre un mur comme une noix trop mûre.

Une fenêtre s'alluma. Les enfants se jetèrent dans un recoin. Donald, qui guettait au bout de la rue, les imita. La lumière s'éteignit.

Tapis dans l'ombre, ils attendirent encore un instant, histoire de réfléchir à la situation, aussi.

— Si on veut trouver des crocodiles, c'est dans ce restaurant qu'il nous faut chercher, dit enfin Yomi, au bout d'une minute.

Donald, caché dans une encoignure de porte, avait reconnu immédiatement Yomi. Pas besoin de sortir la photo.

— *Que ce gosse semble rusé, vif*, pensa-t-il avec admiration. Puis, il fronça ses sourcils presque invisibles tant ils étaient clairs. *Comment peut-on s'attaquer à un gosse?* se demanda-t-il, inquiet de sa propre hésitation. *L'argent, l'argent, il ne faut penser qu'à cela*. Il pourrait lui tomber dessus, le ficeler et faire chanter Marshal. Mais les camarades du petit Indien risquaient de se battre, eux aussi, pour retenir leur ami. Ils avaient l'air soudés, tous les quatre. Et courageux! On ne venait pas dans ce quartier sans mettre sa vie en danger. *Non, il faut attendre qu'il soit isolé. Et puis, peut-être me conduiront-ils plus loin, ils ont l'air si malin! Je pourrais alors accumuler des preuves contre Marshal, des preuves plus concrètes que ce bout de papier…*

Un enfant s'était retourné. Plaqué contre la muraille, Donald retint sa respiration. Avait-il été repéré? La fillette pointa son doigt au ras du sol.

— Vous avez entendu?

— Oui, on dirait de l'eau. Elle montra un soupirail.

— Le sous-sol du restaurant semble inondé. Et

cette odeur infecte… À mon avis, ça doit communiquer avec les égouts.

— Venez ! dit Yomi en se levant.

Il semblait sûr de lui, comme s'il venait de comprendre la clé d'un mystère.

Ils rejoignirent une rue parallèle en passant devant le porche obscur. Donald dégaina le revolver de son holster, au cas où… seulement pour leur faire peur.

Il retint sa respiration et les enfants passèrent, sans le voir.

Il soupira. Puis, lorsqu'ils eurent disparu, il sortit prudemment et retrouva leurs traces.

Il avait tout entendu.

— Je le tiens, je le tiens ! cracha-t-il entre ses dents.

Mais lui-même ne savait plus s'il parlait du fils ou bien du père.

Parvenus au niveau d'une plaque d'égout débouchant en plein milieu de Canal Street, Yomi, Yasmine et Mishi soulevèrent la lourde plaque de fonte.

— Mais qu'est-ce que vous faites ? s'inquiéta Pedro.

— C'est bon, on peut descendre : il y a une échelle métallique, dit Yomi.

— Ça ne va pas, non !

Yomi disparaissait déjà dans le puits. Le martèlement de ses pieds sur les échelons s'estompa.

— Suivez-moi ! Ici, il fait drôlement bon.

Les enfants regardèrent autour d'eux, puis rejoignirent à leur tour la tiédeur fétide. Pedro bougonna, tout en les imitant.

Chapitre Huit
Dans les entrailles de la Terre

Absorbés par cette nouvelle tournure de leur aventure, les enfants n'avaient pas entendu vibrer les échelons derrière eux, sous les pas de Donald.

Parvenus au fond du puits, ils empruntèrent un couloir d'égout et s'enfoncèrent à la lueur faiblissante de leur briquet.

En file indienne, ils retenaient leur respiration pour ne pas être incommodés par la puanteur. Ils répugnaient à mettre les pieds dans la boue collante. Parfois, Yasmine criait, quand une goutte tombait de la voûte dans son cou.

— Nous devons être sous Canal Street maintenant. Forcément ! C'est là qu'ils sont descendus. Plus qu'un pâté de maisons à franchir, quand apparut une grille au bout du tunnel.

Soudain, l'horreur !

En face d'eux, derrière les barreaux, grouillait un affreux vivier. Cette partie du réseau semblait totalement abandonnée, sans doute inconnue des égoutiers actuels.

En contrebas, s'étendait comme un lac souterrain sous une voûte immense.

Sur l'eau nauséabonde, flottaient des dizaines de reptiles de toutes les tailles, dont les plus grands atteignaient bien trois mètres. Ils bâillaient dans la pénombre, et plongeaient de temps en temps. Leurs yeux rouges affleuraient la surface.

Ils grondaient et soufflaient. Ils ouvraient une gueule monstrueuse, pourvue de crocs jaunes qui se refermaient en claquant. Au moindre mouvement des enfants, leur queue acérée fouettait la fange du lac.

Au centre de cette salle ronde souterraine, se dressait un îlot de ciment entouré d'un grillage.

— *À quoi ça peut bien servir ?* se demanda Yomi.

Pedro en avait une vague idée.

— Regardez, au-dessus de l'île, il y a une trappe ! Juste sous la cuisine du restaurant, je parie. Je donne ma main à couper que le cuisiner vient directement se servir ici !

— Un cuisinier qui vient se battre avec des crocodiles !

— Il a les armes qui faut, ne t'inquiète pas. De toute façon, si c'est le crocodile qui gagne, ce ne sont pas les cuisiniers qui manquent… railla Pedro.

— Beurk ! Tu es immonde !

— Je pense qu'il a pourtant raison. Il doit venir en chercher mais il doit certainement les nourrir, aussi. Avec les restes, je suppose.

À peine Yomi eut-il terminé sa phrase qu'une voix grave les fit sursauter.

— Pas seulement avec des restes… Mes chers enfants, ces gloutons adorent les proies vivantes.

L'homme était complètement invisible, dans la pénombre. Seul scintillait l'acier noir d'une arme braquée sur eux.

Pour faire impression, Donald avait pris sa plus grosse voix. Mais en fait, le détective était effrayé par l'endroit, et par le bâillement des reptiles géants.

— *Pourvu qu'ils prennent peur et fuient. Je pourrais alors facilement bondir sur le fils Marshal. S'il était isolé, j'arriverais bien à le capturer !* espéra-t-il.

— Qui êtes-vous ? interrogea Pedro.

Brutalement, l'individu sortit de sa poche une lampe torche et l'alluma de la main gauche. Les enfants se protégèrent les yeux.

— Les mains en l'air, tous ! Et plus vite que ça.

Les enfants s'exécutèrent.

N'ayant jamais vu d'arme à feu pointée sur lui, Yomi fut terrifié. Pedro ne sembla pas affolé, le grand adolescent était habitué à la violence des rues, des gangs et des rixes.

Donald sentit confusément que, même armé, il aurait du mal à maîtriser ces jeunes loups.

Il balaya la pénombre avec sa torche électrique pour distinguer les visages. Et chaque fois que le faisceau de lumière faisait étinceler le lac derrière eux, les crocodiles s'agitaient.

— Toi, le grand, ouvre la grille ! Et obéis-moi si tu veux avoir la vie sauve.

— Comment puis-je vous obéir ? J'ai pas la clé de la grille.

— Ne fais pas le malin, mon grand, tu as un couteau. Prends-le ! Je suis sûr que ce n'est pas la première fois.

— Non.

Pedro était catégorique, arrogant. Mains en l'air, il cracha en direction de Donald. Yomi intervint, la voix faible, chevrotante.

— Fais ce qu'il dit, Pedro, je t'en prie. Autrement, il va tous nous tuer.

À contrecœur, le chef de la bande sortit son canif. Il s'en fallut de peu qu'il ne le lance en pleine poitrine de l'homme qui les menaçait. Mais sa vie n'était pas seule en danger, il y avait celles de Yasmine et de Mishi. Et puis celle de Yomi, apeuré, qui les avait entraînés dans cette folle aventure. Il lui en voulait, certes, mais il ne le laisserait pas tomber pour autant. Il inséra la lame dans la serrure et le cadenas rouillé céda très vite.

— Bien, très bien. Ce n'était pas si difficile, persifla Donald tout en réfléchissant au moyen de faire fuir les trois gosses et de rester seul avec le jeune Indien. Soudain, une idée lui vint. « L'île ».

Tout alla alors très vite.

— Maintenant, tu vois cette échelle dressée à ta droite?

Les enfants ne l'avaient pas remarquée. Ils tournèrent la tête et découvrirent l'objet que les agents d'entretien utilisaient autrefois, avant l'installation du vivier.

— Bon. Alors toi, le grand, tu vas décrocher cette échelle et écoute-moi bien. Pendant que les deux petits ouvriront la grille, tu la poseras sur le bord de l'îlot de façon à faire une passerelle. Allez-y.

— Mais c'est affreux, vous n'allez pas faire cela !

Yasmine se mit à pleurer.

Yomi ne connaissait pas cet homme. Pourtant, il avait deviné l'essentiel de toute cette scène.

— Obéissez, c'est à moi seul qu'il en veut.

— Tout juste, répondit Donald impressionné par la perspicacité du gamin.

Par instinct, Yomi voulut reprendre la direction des opérations.

— Promettez-moi de leur laisser la vie sauve et ils feront ce que vous leur demandez.

— On verra, on verra, maugréa Donald, excédé, mais surtout incertain quant à ce qui allait suivre.

En effet, au moindre faux mouvement, le petit pouvait tomber à l'eau et se faire dévorer par les reptiles affamés.

— *Impossible,* tentait-il de se rassurer aussitôt, *ce gosse est indien, il est agile. Les Indiens d'Amérique du Nord ne connaissent pas le vertige, cela doit être pareil pour ceux d'Amérique latine.*

— Allez, exécution !

Tout se passa comme il l'avait demandé. Les enfants étaient acculés au bord du lac. Donald se tenait en retrait. La grille ouverte, les crocodiles furent en alerte.

Le pont fut installé rapidement avant que les reptiles ne s'échappent. Une extrémité fut posée sur la berge qui descendait vers le lac en pente douce, l'autre touchait juste l'île centrale surélevée, elle écrasa un peu le grillage qui l'entourait.

— Monte !

Donald donnait les ordres du bout de son canon. Yomi baissa les bras et, à quatre pattes, s'avança sur l'échelle qui plia dangereusement. Les barres de fer tremblaient. À mi-chemin, l'enfant regarda, sous lui, les mâchoires qui l'attendaient. De petits caïmans bondirent hors de l'eau, mais leur gueule se referma sur le vide. Quand il parvint enfin sur l'île surélevée, Yomi sauta à terre. Pedro retira l'échelle sur les ordres de Donald.

Yomi leva alors la tête en direction de la trappe obstinément fermée au niveau de la clé de voûte. Il sentit quelque chose qui le meurtrissait sous son tee-shirt sale et déchiré.

Discrètement, il remit en place la corde qui faisait plusieurs fois le tour de son ventre. Glissé dans sa culotte, le pic d'acier retourné le blessait. Il avait oublié la comète ! Tout à coup, il se sentit mieux.

— Tu peux toujours regarder en l'air, l'ami ! À moins d'être un oiseau, tu n'es pas près de t'échapper… À nous maintenant…

Donald réfléchit :
— *Le gosse est bien gardé à présent, et en toute sécurité. Le grillage cernant l'île est solide. Mais comment me débarrasser maintenant des trois autres ? Je ne peux tout de même pas les prier de s'en aller gentiment. Je ne peux pas non plus les effrayer en faisant feu en l'air, l'écho alerterait les passants à l'extérieur… Il reste une solution, continuer à leur faire peur…*

De son air le plus méchant, le détective observa les trois enfants blottis les uns contre les autres. Ils se tenaient au bord du vivier devant la grille ouverte.

— Allez, reculez maintenant! Pas d'histoire.

Yomi hurla depuis son île.

— Mais vous aviez promis...

Donald n'écouta pas, il pensait à la suite.

— *Prévenir John Marshal, lui remettre l'enfant, et encaisser l'argent! Ou bien le faire chanter, et augmenter le prix en le menaçant de révéler à la presse et aux autorités la nature de son fameux import-export...*

L'esprit de Donald se fixa rapidement sur cette dernière solution alléchante. Il sourit en pensant à cette issue positive.

Ce sourire, mal interprété, finit de terroriser les enfants.

— *Pas de doute, ce fou est prêt à tout,* pensa rapidement Pedro.

Il se tourna discrètement vers Yasmine et Mishi, leur fit un clin d'œil, et d'un signe de tête leur signifia de se tenir prêts à bondir. Il étudia ensuite les gestes du détective et quand il sut que le moment était le bon, il cria:

— Foncez!

Yasmine et Mishi s'élancèrent et renversèrent Donald au passage. Pedro hurla encore:

— Courez!

La fillette, rapide comme l'éclair, ramassa la lampe que le détective avait lâchée, l'éteignit et ils disparurent tous les trois dans la nuit. Donald se releva abasourdi, se précipita pour fermer rapidement la grille avant que les monstres ne puissent s'échapper et se campa au milieu du tunnel en se frottant les mains.

— Parfait, exactement ce que je voulais.

Puis il se rendit compte qu'ils avaient dérobé la lampe de poche, sa seule source de lumière! Et ça, ce n'était pas prévu. Il jura, tapa du pied dans la boue qui gicla. Il brandit son poing et frappa le mur à s'en faire éclater les phalanges.

— Bon sang! Il fallait que ça m'arrive! Il fallait que ça m'arrive!

Il se laissa glisser contre les pierres gluantes. Se prenant la tête entre les mains, il essaya de se calmer, et récapitula tout bas:

— À droite…, deux fois à gauche, tout droit, premier embranchement…

Il se tint le front d'une main. De l'autre, il fit des gestes et essaya de s'orienter en traçant en l'air le parcours de l'aller.

— Heureusement, il commence à faire jour!

Quelques rayons d'un pâle soleil d'hiver tombaient en faisceaux à travers les grilles d'égout qui jalonnaient le souterrain. Ils étaient accompagnés de flocons de neige, les premiers de la saison, qui venaient, immaculés, se mélanger à la fange.

Tous les vingt mètres environ, un éventail blanchâtre illuminait le chemin. À ces endroits, sur la muraille, s'était développée une mousse verte et poisseuse.

Donald jura une dernière fois, puis poussé par une peur panique, il s'élança. D'une flaque de lumière à l'autre, il courut presque, fuyant les ténèbres qui hantaient ce labyrinthe.

À la surface, pendant ce temps, Barbara avait fui une fois de plus le foyer familial en s'adonnant avec ferveur au yoga, comme tous les matins. Dans un centre de méditation, elle achevait la « salutation au soleil », quand une douleur au cœur l'obligea à interrompre son cours. S'excusant auprès du professeur, elle mit fin à la séance et se retrouva dans la rue. Des flocons virevoltaient dans l'air glacé.

— La première neige, murmura-t-elle avec tristesse.

La première neige annonciatrice des mauvais jours, mais aussi des fêtes de Noël. Immédiatement, elle pensa à Yomi, au froid qu'il allait devoir affronter, à la mort qui allait commencer à rôder parmi les sans-logis, les clochards et tous les déshérités.

— Yomi, Yomi…

Elle héla un taxi, pour ne plus être seule avec ses terribles pensées. Plutôt la présence angoissante de son mari, que la solitude. Elle revint chez elle, au mauvais moment.

Derrière les vitres de son bureau, John Marshal se rongeait les ongles. Il arpentait le sol jonché de fourrures et, pour se calmer, ôta ses chaussures.

Que le contact chaud était bon, quand dehors il neigeait à pierre fendre ! Les flocons tourbillonnaient, les taxis jaunes slalomaient, dérapaient, heurtaient parfois le trottoir. Un chien errant frissonnait et zigzaguait de poubelle en poubelle. Le jour était opaque, ponctué d'ouate.

Son épouse n'était pas près de rentrer avec un temps pareil ! Seule ombre au tableau, ils étaient en retard au rendez-vous...

— Que font-ils ?

Il ne savait comment occuper son esprit. Le détective privé n'avait certainement encore rien trouvé et...

On sonna à la porte.

— Ça doit être eux, murmura-t-il.

Jamais il ne s'était senti si peu sûr de lui, depuis que tout lui échappait.

— Entrez, monsieur William, je vous en prie, dit-il en ouvrant la porte en grand.

Un petit homme replet et chauve s'avança. Son teint rose le faisait ressembler à un porcelet. Suivaient ses gardes du corps, à la carrure impressionnante.

Ils entrèrent dans le salon et restèrent debout, bras croisés à côté de la porte. Marshal avala sa salive. Il sentit que quelque chose n'allait pas.

— Asseyez-vous. Je vous sers tout de suite à boire.

— Inutile, siffla monsieur William, je suis venu vous dire que nos accords sont suspendus. Pedronetti a reçu la visite de deux policiers, hier, nous le savons de source sûre, mais nous n'avons pas encore réussi à le faire parler. Et puis, un curieux individu s'est présenté, le même soir, à notre lieu de rendez-vous secret, alors que nous étions en passe de signer notre contrat.

Marshal, debout au centre de la pièce, ne savait où regarder pour masquer sa gêne. Il tenait la bouteille de whisky qu'il faillit bien lâcher. Ils n'hésiteraient pas à le tuer si quelque chose tournait mal. Et depuis quelque temps…

À quelques pas de là, plantée sur le trottoir d'en face, Barbara venait de glisser un billet vert au chauffeur du taxi.

Elle cherchait nerveusement ses clés dans son sac à main quand elle vit ces ombres imposantes, dans son appartement.

D'une voix sans pitié, M. William lâcha :

— On enquête pour savoir qui se mêle de nos affaires. J'espère que vous n'êtes pas à l'origine de cette filature imprévue, Marshal. Je trouverais cela très désobligeant, si vous voyez ce que je veux dire…

Marshal fit semblant d'être décontracté.

— Vous pouvez avoir confiance en moi. Je n'ai pas d'autres intérêts que les vôtres. Où pourrai-je vous recontacter quand il n'y aura plus de danger ?

M. William secoua la tête.

— Sûrement pas à l'« Exotic Restaurant ». Trop risqué. Nous l'avons fermé pour l'instant.

Puis, en sortant, tournant le dos à John, il précisa :

— Ne vous mettez pas en peine de nous contacter,

Marshal, nous nous retrouverons.

Quand le trio parvint sur le palier et que la porte se referma, Marshal reposa la bouteille sur un guéridon. Il souffla, et s'essuya le front.

Barbara s'engouffra dans une cabine téléphonique. Alors que le premier des mastodontes ouvrait la portière d'une longue Rolls garée devant le pavillon, le deuxième garde sortit de sa chemise une arme qu'il jeta négligemment sur le tableau de bord avant de se mettre au volant. Barbara ne perdait rien de la scène ; elle décrocha le combiné, affolée, et composa le numéro du téléphone portable de Manuel.

Elle imaginait déjà son mari baignant dans une mare de sang et elle ne put soutenir cette vision d'horreur. Elle avait beau se dire qu'elle ne l'aimait plus, et qu'il était sûrement coupable de crimes odieux, ses nerfs flanchèrent.

La Rolls s'éloigna lentement pour se confondre avec la tourmente qui recouvrait le quartier résidentiel d'un nuage de neige et de brumes pâles.

À l'autre bout du fil, Manuel prononça d'une voix ensommeillée :

— Allô... Si c'est toi, Josh, j'espère que tu as une bonne raison de me réveiller, parce que...

— C'est Barbara, la mère de Yomi, je suis désolée de vous déranger à cette heure-ci, mais...

— Oh ! Excusez-moi, madame Marshal. Je suis confus. Mon collègue a tellement l'habitude de me faire de mauvaises blagues que... Mais vous ne me dérangez pas, dit-il en regardant le réveil.

Il grimaça en lisant l'heure.

— Je vous appelle à cause de mon mari.

— Que se passe-t-il ?

— Je crois qu'il est mort.

Elle raconta la scène à laquelle elle avait assisté en sortant du taxi.

— OK. Allez au bar qui fait l'angle de votre rue : je passe vous chercher dans dix minutes.

De son côté, sous terre, Donald avait retrouvé avec satisfaction le puits par lequel il s'était introduit dans le complexe des égouts. Il gravit l'échelle le menant à la surface et s'apprêta à faire lentement pivoter la plaque de fonte qu'il avait consciencieusement remise en place après son passage.

— Han !...

Il poussa. En vain. Il recommença. Ses doigts collaient cruellement au métal glacé, et il devait utiliser son mouchoir pour ne pas y laisser ses empreintes.

— Nom d'un chien ! Gelé ! Me voilà bien !

Au moment où il prononçait ces mots, un camion de nettoyage de rue passa, faisant racler sa brosse sur la plaque métallique.

Donald fit un bond en arrière comme s'il venait de s'électrocuter et tomba dans la boue nauséabonde.

— Oh ! Non ! pleurnicha-t-il pour lui-même. Décidément, c'est pas mon jour.

Chapitre Neuf
La voie Birmane

De son côté, Manuel entrait chez les Marshal, suivi de près par Barbara, qui ne voulait rien voir, tout en écarquillant les yeux.

Mais quand ils virent John, assis à son bureau, perdu dans ses pensées, elle en fut presque contrariée.

— Tiens! Tiens! dit John, en voyant d'abord Manuel. Que me vaut l'honneur de votre vis…

Il aperçut sa femme.

— Chérie? Que se passe-t-il?

— Tu n'es pas mort?

Il fut d'abord décontenancé par cette réplique, puis souriant franchement, il ajouta:

— Pas encore, mon amour. Pourquoi? Je devrais?

— Mais… j'ai vu trois… trois… enfin… deux…

Avec les mains, elle décrivit la carrure des deux gardes du corps.

— Oh! Je vois! Non! C'est juste un client américain. Il est persuadé qu'on cherche à le tuer et il ne se déplace jamais sans ses deux gardes du corps.

En prononçant ces derniers mots, il refit les gestes de sa femme, décrivant la carrure des deux hommes.

Manuel n'était pas dupe. Il n'y avait pas plus de client américain que de martiens sur Vénus.

Il allait prendre congé, devant la porte d'entrée, quand un téléphone sonna. Dans son bureau, John décrocha.

— Allô ? Marshal ?

Ce dernier reconnut la voix de son interlocuteur.

— Donald ? Vous avez des nouvelles ?

Manuel regardait un deuxième combiné posé sur un meuble devant lui, et son instinct lui ordonna d'écouter la conversation. Barbara avait compris et d'un hochement de tête, elle l'encouragea à le faire.

Au bout du fil, à plusieurs pieds sous terre, à des rues et des rues de distance, Donald ricana.

— Oui, j'ai trouvé une excellente piste qui m'a conduit directement à vous et à vos associés, un commerce pas très joli, je dois vous avouer.

— Que voulez-vous dire ? crachota Marshal, d'une voix angoissée.

Donald jubila, et prit son temps.

— Lorsque je vous ai demandé de quelle manière vous abattiez les éléphants, vous m'avez répondu « d'une balle en plein cœur », n'est-ce pas ? Vous vous en souvenez ?

— Oui, non, enfin je ne sais plus… Où voulez-vous en venir ?

— Eh bien, c'est faux! Vous n'avez jamais tué d'éléphant, car il faut tirer dans l'œil droit pour réussir à toucher un des centres vitaux de l'animal, situé directement dans le cerveau. Sans quoi votre balle de 22 long rifle ricoche sur le cuir et les côtes du mastodonte comme un vulgaire galet. Je vous dis cela, parce que c'est ce qui m'a mis la puce à l'oreille, si je puis dire.

À partir de ce moment j'ai deviné que vous n'étiez pas l'auteur de ces chasses et que vous mentiez sur toute la ligne. De déduction en déduction, j'en suis arrivé à la conclusion que vous n'étiez qu'un vulgaire trafiquant d'animaux qui se cachait derrière l'image d'un grand homme d'affaires.

— Venez-en au fait.

— Votre fils est avec moi. Si vous le voulez vivant, il va falloir payer.

Le rat! pensa John. *Le rat!* Voilà bien une chose qu'il n'avait pas même imaginée. *Se faire rançonner par son propre enquêteur! Le rat!*

— Combien?

— Un million.

Marshal en eut le souffle coupé.

— Un million de dollars! s'écria John. Mais c'est impossible, je ne peux pas…

— Dans ce cas, je vous rappelle quand je lui tire une balle dans la tête. Je pense que vous n'oublierez jamais ce bruit.

Marshal haleta, un vertige l'obligea à s'asseoir sur son large fauteuil. Il geignit en fermant les yeux. La nausée lui vint, il ouvrit un tiroir, sortit la bouteille de whisky.

Un silence lourd planait dans la pièce. Il déboucha la carafe de cristal d'une main, but au goulot une longue rasade en faisant la grimace. La tête lui tourna. Puis il dit brutalement :

— D'accord. Quand et où ?

— Je suis juste sous votre « Exotic Restaurant », dans les égouts. Venez vous garer près de la plaque d'égout donnant sur Canal Street…

Puis d'une voix moins dure, il ajouta :

— Ah ! Au fait ! Procurez-vous un chalumeau ou un bidon d'antigel : je n'arrive pas à soulever la plaque d'égout. Je crois qu'elle est bloquée par le froid. Et bien sûr, inutile de préciser, venez avec l'argent. Je serai accompagné de Yomi. Vous me déposerez ensuite à la première station de métro. Puis, salut. Et pas de bêtise, je suis armé.

Il laissa John assimiler tout ça et juste avant de raccrocher, il rappela à son interlocuteur :

— Dans deux heures, exactement.

Manuel reposa doucement le combiné et sortit en silence. Il fit signe à Barbara de ne pas s'inquiéter. Et aussi, qu'il lui téléphonerait sous peu.

Pendant ce temps, sur son île, Yomi était en transe. Peu à peu, ses souvenirs se faisaient plus précis. Dans l'obscurité du lac souterrain, il s'était retrouvé des années en arrière, au bord du fleuve Orénoque aux confins de l'Amazonie, non pas brésilienne comme on le lui avait dit, mais vénézuélienne. Son village se trouvait à l'endroit exact où le grand fleuve rejoint le

Rio Negro, un lieu dénommé Piedra del Cocuy.

Là était son village.

Il le voyait en fermant les yeux, la nuque raide et le corps tremblant pendant qu'il murmurait « Hekura, hekura », inlassablement, dans un état second.

Un aigle lui apparut.

Il monta en songe sur ses ailes et ils planèrent au-dessus de la grande forêt, masse verdoyante infinie que tranchait parfois l'azur d'un fleuve qui se faufilait entre les arbres immenses.

Des clairières arrondies parsemaient cette végétation dense. Et au centre d'un des espaces dégagés, les « conucos » où les femmes cultivaient sur les brûlis, manioc, « plantin », « ocoumo » et bananes. Il revit la hutte ronde à auvent ouvert, le « shabono » où sa tribu habitait.

Ni les crocodiles qui tournaient autour de lui dans cette nuit tropicale en plein New York, ni l'ocelot qu'il avait perdu, ni le fourmilier, ni l'ara, ni l'anaconda ne renfermaient l'esprit qu'il recherchait. Il en était sûr maintenant, son animal totem était l'Aigle Harpie.

Et la fuite se trouvait dans les airs.

— Dans les airs…

Sorti brutalement de sa méditation, l'esprit vide, fourbu, Yomi savait qu'il fallait faire vite. Il déroula la corde enroulée autour de sa taille et tordit un peu plus le pic métallique pour en faire un crochet. Imitant Pedro avec ses comètes, il fit tournoyer l'ensemble. La corde siffla au-dessus des bêtes, frôlant leur tête. Il visa un des multiples câbles qui pendaient au plafond. Une fois, deux fois… Il ratait sa cible et désespérait quand, subitement, le métal agrippa.

Il tira plusieurs fois et se suspendit pour voir si la prise tenait. Quand il fut rassuré, il se hissa sous les yeux déçus des crocodiles qui voyaient leur proie s'enfuir dans les airs. Parvenu à quatre mètres, Yomi effectua un léger mouvement de balancier et attrapa avec sa main droite une gaine en plastique. Pendu dangereusement au-dessus de la pièce d'eau, il récupéra son grappin avec la main gauche et s'en servit de levier pour ouvrir la trappe.

Elle céda.

Il se redressa alors. Dans une demi-obscurité, il vit des balais-brosses, des torchons humides et des seaux en plastique.

Il se hissa un peu plus, son torse dépassant maintenant tout à fait dans le réduit.

Et la trappe se referma, sur le passage de l'« hekura » Aigle Harpie.

Au même moment, mais beaucoup plus loin dans le labyrinthe des égouts, Pedro et sa petite troupe voyaient enfin le bout du tunnel.

— Là-bas ! La sortie !

Le cri de Pedro résonna dans tout le sous-sol.

— Courage ! On y arrive !

Debout, à la proue d'une barque d'égoutier qu'ils avaient dégotée quelques heures plus tôt, le grand adolescent cria victoire.

En arrivant vers la lumière, Pedro aperçut des S.D.F. allongés le long des couloirs humides mais au chaud, comme chaque hiver, dans le dédale souterrain de Grand Central, la gare de New York.

Dans le tunnel principal baptisé par les infortunés habitants « la Voie Birmane », sans que nul ne sache vraiment pourquoi, des êtres rendus difformes par les maladies et les rhumatismes gémissent sur des journaux salis en chassant d'une main lasse les cafards et les rats. Les soupapes de sécurité qui rejettent leur vapeur dans ce refuge immense leur servent de chauffage. Lorsque la police s'en mêle, ils fuient plus profondément le long de ce quai ne menant nulle part, là où s'étendent des zones entières oubliées des plans cadastraux. Là où clapotent des lacs de boue tiède. Là où s'amoncellent des bouchons d'ordures bloquant tout accès à des salles secrètes.

La barque accosta plus loin dans un endroit désert.
— Bon, maintenant, il faut qu'on remonte à la surface et qu'on prévienne la police, annonça Pedro.
— Tu crois ? Mais on va se faire repérer, emprisonner et on va finir à l'orphelinat, obligés d'aller en classe, de bien s'habiller, non, je ne veux pas.

Mishi refusa catégoriquement.
Pedro insista :
— On ne peut pas laisser Yomi avec ce fou au milieu des crocodiles ! Je suis d'accord, nous en sommes arrivés là à cause de lui, mais…

Yasmine reconnaissait le grand cœur de Pedro, caché derrière son cynisme et sa froideur.

Elle lui serra la main et dit :

— Je te suis.

Mishi haussa les épaules. Mais lorsque Yasmine et Pedro remontèrent par les échelles, le laissant seul, il les rappela et les menaça de son index, hargneux :

— D'accord ! Mais je ne veux pas aller à l'école, c'est compris ?

Après son coup de téléphone à Marshal, Donald revint sur ses pas. À tâtons dans le boyau pestilentiel, il mit le pied sur quelque chose de mou qui couina.

— Des rats ! Il ne manquait plus que ça… Il entendait d'ici le remue-ménage du vivier. S'il n'y avait pas eu ce grillage, ils n'auraient fait du gamin qu'une bouchée !

Pressé de revoir le gosse, Donald avança d'un pas rapide. Arrivé devant les barreaux, il écarquilla les yeux.

— Oh non ! Mais où est-il passé ? Les crocodiles ne l'auraient quand même pas…

Le lac grouillait d'une agitation anormale. Les bêtes se mordaient, s'abattaient les unes sur les autres. La famine exacerbait leur agressivité.

Effrayé par le combat auquel se livraient les reptiles sauvages, Donald ne douta plus : l'enfant était tombé parmi eux en essayant de fuir, sûrement.

À reculons, terrorisé par tant de violence, Donald s'enfuit.

Dans sa course, il se mordit les lèvres jusqu'au sang.

— Non, pas ça, pas ça, gémit-il.

Il courait aussi vite que possible pour s'éloigner de ce lieu sordide.

— Je suis un criminel, un meurtrier, répétait-il en serrant les poings.

Ses ongles pénétraient profondément dans sa paume sans que la douleur ne le dérange.

— Je hais ce travail, je l'ai toujours haï. Je le savais bien, un jour ou l'autre cela devait me conduire à tuer… Je ne me suis pas arrêté à temps. Je suis un assassin.

Donald voulait fuir, fuir loin de cet acte affreux dont il était l'auteur, mais il savait qu'il aurait beau aller au bout du monde, le remords le poursuivrait.

Josh avait rejoint Manuel et c'est dans la voiture de police qu'ils se rendirent sur Mott Street, devant le restaurant asiatique.

La neige avait cessé de tomber et le soleil levant diffusait une lumière blanche et froide : pour un peu, les deux policiers auraient pu se croire dans un film en noir et blanc. Une longue attente commençait. Ils devaient guetter le moindre mouvement dans la rue et surtout aux alentours de la bâtisse au toit de tuiles vernissées et au profil de pagode.

Dans la voiture, Manuel restait songeur.

Si on ne retrouvait pas cet enfant vivant, c'en était fini pour lui de New York et de la police ! Josh l'observait.

— Manuel, je sais que c'est dur pour toi. Mais tu ne

devrais pas trop réfléchir, tu te fais du mal.

— Vois-tu, Josh, si je ne retrouve pas Yomi en vie, j'arrête tout.

— Et si tu le retrouves en vie ?

Manuel sourit.

— Je crois que j'arrête tout aussi.

Il regarda son ami avec étonnement.

— Tu es plus perspicace que tu n'en as l'air, finalement !

Josh sourit aussi. Même si au fond de son cœur, il était triste.

Les minutes passaient, aussi longues que des heures, écrasées sous un silence total, celui qui précède les cataclysmes. Manuel regarda le soleil se refléter sur les toits en escaliers du quartier chinois. La neige commençait à fondre, elle glissait en larges plaques ruisselantes. Les volets s'ouvraient sur des gens en peignoir. On rentrait les poubelles, des radios se mettaient en marche.

Tout doucement, une odeur de café chaud se répandit dans les rues. Des enfants criaient en découvrant la neige, émerveillés.

— Que comptes-tu faire, après ?

Josh avait la gorge serrée car il savait que Manuel ne parlait jamais sans mettre à exécution ses projets.

— Je ne sais pas. Partir, peut-être.

— En Amazonie, c'est ça ?

— Oui.

Au même instant, filant vers le Bronx, la bande de Pedro grimpait dangereusement sur les pare-chocs arrière, sans se faire voir des conducteurs. Les enfants sautaient à terre aux feux rouges.

Ils s'accrochaient aux montants extérieurs des bus. Ils se cachaient dans les bennes des camions. Il fallait aller le plus vite possible, et ils employaient l'ensemble des moyens qu'ils connaissaient.

Frigorifiés par l'air qui les avait fouettés tout au long de leur périple, les enfants poussèrent enfin la porte du commissariat du Bronx.

— M'sieur, faites vite! L'enfant que vous recherchez, nous savons où il se trouve!

Antoniny, les pieds sur le bureau du chef, laissa tomber son cure-dents.

— Oh! Oh! Oh! On se calme, là! D'abord, on dit: « bonjour monsieur le policier » et ensuite on attend que je donne la parole. OK? Bon, alors, on va dire que tu m'as dit bonjour, pour cette fois. Ensuite, c'est quoi cette histoire d'enfant? Qu'est-ce que vous savez de tout ça, vous?

Les enfants racontèrent l'enlèvement de Yomi, insistant sur les crocodiles et l'île sur laquelle se trouvait leur ami, en ce moment, sans se douter que Yomi n'y était plus.

Antoniny nota tout et passa un coup de fil à Burton.

Au bout de quelques secondes seulement, lui ayant raconté l'essentiel, il raccrocha et appela Manuel, sur son portable. Au fur et à mesure qu'Antoniny lui donnait des détails, le visage de Manuel blêmissait. À la fin, presque tétanisé, il dit enfin :

— Antoniny, il faut que tu te débrouilles pour venir devant l'« Exotic Restaurant » dans Mott Street. Mais avant, fais un détour par le zoo, et débrouille-toi pour m'amener aussi l'ocelot, je t'expliquerai. Et encore une chose : amène ces enfants avec toi.

Le petit groupe se mit en marche sous l'œil incrédule de l'équipe de jour qui arrivait.

— Ben ? Qu'est-ce que tu fais ? demanda l'un des nouveaux venus. Tu n'attends plus la relève ?

— Une urgence, les gars, dit Antoniny, sans même s'arrêter. Je vous laisse la boutique.

Alors qu'ils se dirigeaient, sirène hurlante, vers le zoo, que Pedro et Mishi avaient le sourire jusqu'aux oreilles en voyant défiler le paysage et se ranger les voitures pour leur laisser le passage, à eux : Pedro et Mishi. Yasmine, elle, s'inquiétait :

— Mais comment on va le transporter ?

— Le véhicule est grillagé à l'arrière, il est habituellement réservé au transport des fous furieux, il fera bien l'affaire.

Une fois au zoo, il fallut encore expliquer au directeur l'importance vitale de cet emprunt.

Antoniny eut du mal à se justifier. D'autant plus que Manuel était resté énigmatique quant aux finalités de l'opération.

Deux gardiens finirent par capturer l'ocelot. Dès lors, Yasmine guida les opérations.

— En prenant quelques sens interdits, on y serait plus vite… dit-elle en jetant un œil par la fenêtre de la portière passager.

Antoniny leva les yeux au ciel et appuya sur l'accélérateur.

— Et pour la dernière fois, ajouta-t-elle, bouclez votre ceinture de sécurité, sinon, je crie.

Elle commença à remplir ses poumons d'air et Pedro se tourna précipitamment vers Antoniny.

— Je serais vous, je la bouclerais, dit-il en se félicitant de ce bon mot. Quand on n'est pas habitué, ça peut crever les tympans.

Le conducteur soupira et attacha sa ceinture.

— Merci, dit Yasmine d'une petite voix de chipie. Vous pourriez accélérer maintenant? La vie de notre ami en dépend.

Antoniny préféra se taire.

Chapitre Dix
L'esprit de l'aigle harpie

À dix heures pile, Donald se tenait juste sous la grille d'égout de Canal Street. Le soleil qui descendait dans le boyau projetait sur son blouson en jean d'un bleu douteux des zébrures d'ombre et de lumière. La faim, la fatigue et surtout la mort de ce gamin sur la conscience plongeaient le détective dans des moments de pessimisme noir.

Dix heures cinq, il entendit le ronronnement lointain d'un véhicule au moteur parfaitement entretenu. Grosse cylindrée, voiture de luxe.

— C'est lui !

Son cœur battait. Le ronflement se rapprocha. Puis, d'un seul coup, une masse sombre occulta la grille. En freinant, la limousine libéra de dessous son châssis une pluie de sel et de sable que la maréchaussée new-yorkaise semait dans les rues depuis le matin. Donald en prit plein les yeux et gémit en s'essuyant. Ça le piquait atrocement. La voiture passa, et la lumière vive reparut, augmentant encore la douleur. Le moteur s'arrêta enfin.

Une portière claqua.

— Ça va, mon vieux ? demanda Marshal, tête penchée

au-dessus de la grille.

Il se forçait à afficher un air joyeux.

— Ça pourrait aller mieux, cracha Donald en s'ébrouant.

Il secoua énergiquement ses cheveux, tapota ses vêtements.

— Débloquez-moi cette grille d'égout en vitesse.

— Et le petit ?

Donald se racla la gorge. Sa voix était enrouée par les larmes.

— Mort, il est mort… Dévoré par les crocodiles. Il s'est aventuré sous le restaurant et…

John Marshal reçut comme un choc. Il avait fait tuer des milliers de bêtes de par le monde, et la mort de cet enfant, qui n'était pas vraiment le sien, le bouleversait. Un enfant qu'il n'avait jamais aimé, un enfant qu'il avait utilisé pour renforcer son image médiatique, qui avait servi de prétexte à son apparence pacifique et écologique. Et pourtant… Et pourtant, John Marshal ressentait une violente douleur.

Soudain, un doute envahit Donald.

— *Et si Marshal, fou de douleur, me laissait là pour me punir ? Il lui suffirait de me verser de l'antigel sur le visage pour m'aveugler à jamais. J'errerais alors jusqu'à ce que mort s'ensuive dans ce dédale, comme le Minotaure dans son labyrinthe.*

Marshal hoqueta.

— Et le répertoire ? Avez-vous trouvé un répertoire

sur lui ?

— Oui, répondit Donald sans hésiter.

Il marqua une pause, puis murmura, sur un ton de complicité.

— « Exotic Restaurant », c'est de ça que vous aviez peur, n'est-ce pas ? Que la police aille enquêter dans votre repaire. Mais si on parlait de tout ça devant un bon café chaud, non ? J'ai de quoi vous inviter, maintenant.

Marshal dévissa un bidon en plastique bleu, puis il fit couler le liquide pâteux sur les joints et la grille céda. Donald sortit, ouvrit précipitamment la portière, s'engouffra dans la limousine et s'affala sur le fauteuil arrière. Ébloui par la lumière, il plissait les yeux en se mettant une main devant. Il avait moisi si longtemps dans l'obscurité ! Enfin, il demanda, comme s'il avait la bouche pleine.

— La valise, vous l'avez, j'espère ?

Marshal ne répondit pas.

Soudain, la portière se rouvrit et il fut violemment tiré hors du véhicule alors qu'une paire de menottes se refermait sur ses poignets.

— Hé ! C'est quoi cette histoire ?

Il se fit violence, ouvrit les paupières malgré la brûlure. Il reconnut alors Josh.

— Eh ! Flûte ! Adieu, le sable chaud…

— Je crois, ouais, dit Josh.

Et il lui lut ses droits.

Marshal était déjà assis à l'arrière de la voiture de police, et Manuel revenait vers la limousine.

— Où est le gamin ?

— Il est mort. Les crocodiles l'ont dévoré, à quelques rues de là.

— Non, répondit aussitôt Manuel. S'il était mort, je le saurais.

Il regarda son collègue qui avait levé les sourcils en signe d'incompréhension.

— C'est comme ça, insista Manuel. Je sais que Yomi est vivant.

Donald ne demandait qu'à le croire. D'abord parce qu'il s'était pris d'affection pour le petit et aussi parce que, sans meurtre, il ne risquait plus autant de prison.

— À l'intérieur du restaurant, il y a une trappe qui donne sur la petite île où… il s'était réfugié.

Donald n'avait plus le courage de ses actes. La honte l'envahissait totalement. Pourrait-il encore se regarder dans un miroir ?

Manuel sourit.

— On y va, dit-il en frappant du poing sur la porte d'entrée du restaurant.

Pendant ce temps, à l'intérieur de la bâtisse, Yomi visitait les cuisines. Il mangea un peu, mais tenait à rester alerte. Il ne devait pas se gaver et s'alourdir trop.

Soudain, il entendit quelqu'un frapper à la porte d'entrée en se présentant comme de la police. Mais personne ne bougeait dans le restaurant. Il en déduisit qu'il devait être seul.

Que faire ? Il ne voulait pas retomber dans les mains des trafiquants mais il n'avait pas plus envie de tomber dans celles de la police. Il chercha une bonne planque.

C'est à ce moment-là que le fourgon conduit par Antoniny arriva.

Aussitôt, Manuel se précipita vers le véhicule et regarda à l'arrière. L'ocelot était là.

— C'est quoi ces gamins ? demanda Josh.

— Ben, c'est Manuel qui m'a demandé de… commença Antoniny.

— On n'est pas des objets, lui balança Yasmine en le fusillant des yeux. On dit : qui sont ces adorables enfants ? corrigea-t-elle.

Josh en resta interdit et ne sut dire que :

— Euh… Pardon. Je…

— Ouais. Ben, si je vois un jour votre mère, je lui en toucherai deux mots…

Manuel et Antoniny sourirent en voyant la tête de Josh. On aurait dit un gamin en train de se faire réprimander.

Les trois enfants avaient été frappés par la ressemblance entre Yomi et Manuel. Aussi, Yasmine fut instantanément en confiance. Elle se tourna vers lui et, affichant un beau sourire enjôleur, elle minauda :

— Nous sommes les amis de Yomi et on peut vous

aider. Il aura confiance en nous, alors qu'il va essayer de fuir si vous entrez, vous.

Elle avait raison et Manuel le savait. Ces trois gamins étaient la seule chance de pouvoir approcher Yomi.

Le policier ne se pencha pas alors au-dessus d'eux comme le font les autres hommes, mais il s'accroupit pour leur parler. Cette façon de s'asseoir en gardant les talons collés au sol… cette faculté de se reposer ainsi… cette manière curieuse, ils les avaient tous trois observées chez Yomi qui restait des heures ainsi à leur parler sans fatigue ni crampe…

— J'ai besoin de votre aide.

— Qu'est-ce qu'on peut faire? demanda Pedro.

— Vous allez entrer dans le restaurant avec moi, d'accord? Et c'est vous qui appellerez votre ami.

Pedro était d'accord avec le principe mais il voulait d'abord savoir:

— Et après? Une fois qu'on l'aura retrouvé?

— Après? Je ne vous promets rien, mais je ferai tout pour vous aider.

Les trois enfants se regardèrent. Avaient-ils le choix? N'est-ce pas eux qui avaient mêlé la police à cette affaire?

— OK! dit Mishi. On est avec vous. Vous avez la clé du restaurant?

— Il va falloir se débrouiller sans, avoua Manuel.

— Bon. Je m'en occupe, comme d'hab, dit alors Pedro.

Il sortit son canif et s'attaqua à la serrure. Derrière lui, Manuel ouvrait de grands yeux tandis que Mishi et Yasmine, gênés, faisaient mine de regarder ailleurs, vers le ciel, surtout.

Une fois la serrure forcée, ils firent descendre l'ocelot qui se comporta comme un bon chien-chien à sa mémère. Docile, il donnait l'impression de savoir pourquoi il était là. Il devait sentir la présence de Yomi, non loin.

Le félin entra dans le restaurant et se mit à flairer partout, tandis que les trois enfants appelaient leur ami.

Dans sa cachette, Yomi ne savait plus quoi faire. Il entendait ses amis mais il se doutait bien aussi que la police n'était pas partie. Peut-être les forçait-on à le chercher ?

Bientôt l'ocelot trouva la cachette. Il se coucha devant une petite porte à ras du sol et la tête posée sur ses pattes avant, il la regardait comme s'il pouvait voir à travers.

Les autres arrivèrent derrière lui et regardèrent l'entrée de la planque de Yomi, un peu comme des enfants devant leur cadeau de noël encore emballé. Ils retenaient leur joie alors qu'elle ne demandait qu'à éclater. Et ils ne savaient même pas comment ils allaient l'exprimer. Les cris, les sourires, les gestes, les larmes, rien ne serait suffisant.

Quand Manuel ouvrit enfin le battant, l'enfant se tenait là. Gamin sauvage, Indien des rues, les cheveux dégoulinants et emmêlés descendant jusqu'aux épaules, le corps frêle et griffé, la peau mate et les yeux verts. Yomi était en même temps effrayé et prêt à se battre.

Chapitre Onze
Un oiseau de métal

Yomi fut placé dans un centre de soins pour enfants.

Barbara Marshal demanda le divorce.

Elle s'était prise d'affection pour Yasmine, mais les autorités accepteraient-elles de lui en laisser la garde après ce qui s'était passé ?

Mishi et Pedro avaient préféré regagner la rue, ses violences et la « Voie Birmane ».

Peut-être reviendraient-ils sur leur choix ? Auquel cas, Barbara leur avait assuré qu'ils seraient les bienvenus, aussi.

L'ocelot, le tapir, le boa, les tortues luth, les quelques aras que des passants avaient retrouvés sur leur balustrade, frigorifiés mais encore vivants, furent renvoyés dans leur pays d'origine aux frais de John Marshal, qui allait, en compagnie de Donald, passer une bonne partie de sa vie derrière les barreaux. Suivis de William, le chef du réseau et de ses complices, tous dénoncés par Marshal dans l'espoir d'une réduction de peine.

Le District Attorney avait promis de faire ce qu'il fallait pour la promotion de Burton, de Josh et de Manuel. Mais ce dernier avait fait son choix.

— Non, tu ne peux pas faire ça ! Réfléchis ! Ne prends pas cette décision à la légère, tu ne pourras plus revenir en arrière.

— C'est tout réfléchi, Josh.

Manuel éprouvait une grande peine à annoncer ses projets à son fidèle compagnon. Mais c'était sans appel.

Le lendemain, Burton le reçut. Il n'avait pas l'air étonné et il lui avoua de façon paternelle :

— Vous avez toujours fait preuve d'honnêteté et de dévouement. Vous avez contribué à chasser la délinquance de notre quartier avec la persévérance et l'intuition qui font le prestige des vôtres. Comptez sur moi pour plaider en votre faveur auprès des autorités supérieures.

Le paysage défilait par le hublot. Une mer de nuages s'étendait sous les ailes de l'appareil. Les sommets des cumulus échevelés se succédaient et parfois une trouée dans la nappe laissait apparaître les derniers gratte-ciel dressés comme des totems. Alors, pris de vertige, Yomi donna un léger coup de coude à Manuel. L'ancien policier ouvrit un œil, puis il se recala dans son fauteuil.

— C'est beau, n'est-ce pas ?

Ils se regardèrent et leurs yeux étaient pleins de larmes. Dans quelques heures, ils survoleraient les premiers marais envahis par les brumes tropicales, les lianes, les fleurs immenses flottant sur les eaux dormantes.

Dans quelques heures, ils rencontreraient peut-être leur « hekura ».

Dans quelques heures, ils seraient de retour au pays…

Retrouvez *Yomi* dans une nouvelle
aventure d'*Animal Totem*
dès septembre 2010
aux Éditions Volpilière.

« loi n° 49-956 du 16 juillet 1949 sur les publications
destinées à la jeunesse »

Couverture : **Ludovic Sierra**
crédits illustrations Fotolia

Maquettiste : Élisabeth Robert

Ce livre a été édité par les Éditions Volpilière
32, rue de Berne
78990 Élancourt

Impression SEPEC
Imprimé en France

editionsvolpiliere@gmail.com

Dépôt légal février 2009

ISBN 9782917898017